STREPEN OP DE WEG

Marja van der Linden

Strepen op de weg

Spiegelserie

Voor mijn schone zus Nel en zwager Roel, in bewondering

ISBN 978 90 5977 420 9
NUR 344

www.spiegelserie.nl
Omslagontwerp: Bas Mazur

1

Het was eind maart, maar de lente wilde nog niet echt doorbreken. Integendeel, het leek wel herfst. De regen stroomde onafgebroken naar beneden als een reusachtige waterval. De wind zwiepte de nog kale takken van de bomen heen en weer, en aan de mensen die zich toch buiten waagden, kon je zien dat ze blij zouden zijn als ze weer lekker binnen zaten.
Hanneke reed in de gebruikelijk drukke middagspits naar huis en was blij dat ze vanmiddag niet met de fiets naar De Roos was gegaan. De ruitenwissers van haar autootje konden zelfs op de hoogste stand de niet-aflatende regenstroom amper bijhouden. Ze rilde even, en staarde naar de strepen op de weg, die te langzaam naar haar zin voorbijgleden.
Ze bedacht opeens dat ooit iemand had verzonnen dat daar strepen moesten komen, met een lengte en breedte en op een plaats en een afstand van elkaar die door iemand anders waren bedacht, misschien wel door een hele commissie wijze mannen. En dat die strepen daarna door iemand anders waren aangebracht. Uiteraard niet met de hand, dus dat daar machines voor gebruikt waren die ooit door iemand ontworpen waren. En dat voor die machines onderdelen gebruikt waren die ooit ergens ter wereld in een fabriek gemaakt waren. En dat er op die fabrieken weer andere machines waren die iedere dag wie weet hoeveel van die onderdelen uitbraakten. En dat het materiaal voor die onderdelen weer gefabriceerd werd op een staal- of aluminiumfabriek. En dat er voor die definitieve strepen eerst op diverse wegen proefstrepen waren aangebracht om te kijken welke verf daarvoor het meest geschikt was. En dat die verf ook ooit in een of ander laboratorium was ontwikkeld en gefabriceerd, uit grondstoffen die op hun beurt aangeleverd werden door een ander bedrijf. En dat er dus alleen al voor die strepen wie weet hoeveel mensen op allerlei plaatsen in de wereld in touw geweest waren, in een nooit eindigende keten van uitvinders, fabrikanten, werknemers en afnemers.

Ze schudde wakker uit haar overpeinzingen door getoeter achter haar. 'Jaja,' mompelde ze, 'ik ga al.' Dit is niet bepaald je aandacht bij de weg houden, Hanneke, riep ze zichzelf tot de orde. Of juist wel, maar een verkeerd soort aandacht...
Aandacht. Dat leek een sleutelwoord vandaag. Haar gedachten gingen terug naar het begin van de middag, naar het gesprek met de hulpverleners van haar dochter Sanne.
Zoals gewoonlijk was ze deze woensdagmiddag weer langsgegaan bij Sanne. Sanne was de middelste van hun drie dochters. Ze was nu negentien jaar, maar had het niveau van een kind van twee.
Dat was niet altijd zo geweest. Sanne leek zich de eerste anderhalf jaar van haar leven te ontwikkelen als een normale baby. Maar toen sloeg het monster toe dat 'epilepsie' heet. Er volgden vele onderzoeken, waaruit bleek dat in Sannes hersenen een deel niet goed ontwikkeld was. De epileptische aanvallen van Sanne werden steeds heviger, en meer en meer werd zichtbaar dat die aanvallen onherstelbare beschadigingen in haar hersenen meebrachten. Medicatie die bij andere kinderen vaak wel aansloeg, had bij Sanne helaas niet het gewenste effect. En zo was Sanne steeds verder weggezakt in haar eigen wereldje.
Het was hun nog gelukt Sanne tot haar tiende jaar thuis te houden, maar daarna ging het niet meer. Sanne werd in een gezinsvervangend tehuis geplaatst, eerst in Brabant, en later, toen hun gezin naar Noord-Holland was verhuisd, naar een woonzorgcentrum onder de rook van Amsterdam. Iedere woensdagmiddag ging Hanneke bij Sanne op bezoek, en eens in de veertien dagen ging Hanneke of Steven, haar man, Sanne halen, soms voor een heel weekend, soms alleen voor de zondag, afhankelijk van hoe het op dat moment met Sanne ging.
De laatste tijd was er nogal wat verloop geweest onder de hulpverleners in het woonzorgcentrum, en Hanneke merkte dat Sanne daaronder leed. Ze had vaker aanvallen, was moeilijker aanspreekbaar, en Hanneke had de indruk dat Sanne ook aan het afvallen was.
Ze was als Sannes vertegenwoordiger aanwezig geweest bij de zorgplanbespreking vanmiddag. Daarbij had Arjen, de persoon-

lijk begeleider van Sanne, verteld dat hij per 1 mei wegging. Weer iemand uit Sannes vertrouwde kringetje die vertrok, terwijl stabiliteit in haar omgeving zo'n belangrijke factor was om haar goed te kunnen begeleiden.
Hanneke had zich tijdens de vergadering zitten opwinden over het feit dat niemand daar aandacht voor leek te hebben. Dat het alleen maar was gegaan over de nieuwe methodiek die ingevoerd zou worden, waardoor de zorgplannen aangepast zouden moeten worden, en over de indicatie van Sanne die verlengd moest worden, en over de vraag wie het persoonlijk begeleiderschap moest overnemen van Arjen, en over het feit dat de enige vraag die daarbij gesteld werd, was: 'Wie heeft er nog ruimte?' in plaats van 'Wie voelt zich het meest betrokken bij Sanne?'
Ze bedacht grimmig dat het nieuwe zorgstelsel meer problemen dan oplossingen mee leek te brengen. Dat het maken en de vorm van de zorgplannen tegenwoordig belangrijker leken dan de inhoud ervan. En dat het hebben van de juiste indicatie belangrijker was geworden dan de zorg op zichzelf, omdat alleen aan die indicatie een zak met geld gekoppeld was in plaats van aan de daadwerkelijke zorg die geleverd werd.
Meestal had ze zelf een behoorlijk aandeel in de zorgplanbespreking. Ze had deze keer echter haar mond gehouden. Waarom eigenlijk? Was het omdat ze zelf ook vond dat het op sommige gebieden tijd was voor veranderingen? Of omdat een van de vorige persoonlijk begeleiders haar eens verweten had een 'overbezorgde moeder' te zijn, en dat haar nog steeds dwarszat?
Diep in haar hart wist ze dat dat laatste wel degelijk nog steeds invloed had op haar houding tegenover sommige personeelsleden. Arjen nam haar zorgen altijd wel serieus, een reden te meer om het jammer te vinden dat hij wegging. Bovendien kende ze zichzelf goed genoeg om te weten dat ze, wanneer ze zo boos was als nu, eerst wat tijd voor zichzelf nodig had om alles op een rijtje te zetten voordat ze die boosheid goed onder woorden kon brengen.
Ze verlangde naar Steven. Hij wist als geen ander hoe ze in elkaar zat, en hoewel hij als accountant meer met cijfers dan met de

mens erachter te maken had, wist hij bij haar altijd wonderwel de vinger op de zere plek te leggen.
Gelukkig, bij de volgende afslag kon ze eraf. Nog even en ze was weer thuis.

* * *

Onder het afdak van de garage stond naast de fiets van Lobke een voor Hanneke onbekende herenfiets, en daaroverheen hing een druipend regenpak. Lobke was dus al thuis uit school en had blijkbaar een vriend meegenomen.
Hanneke pakte de post uit de brievenbus en stapte toen de bijkeuken in. Ze schudde even de regendruppels uit haar haren – dat je van zo'n klein stukje tussen auto en huis toch zo nat kon worden – legde de post op het aanrecht en liep naar de gang.
'Hoi, Lobke, ik ben thuis,' riep ze naar boven. Ze deed haar jas uit en hing die over een hangertje aan de kapstok. Ook haar schoenen gingen meteen uit. Dat was altijd een van de eerste dingen die ze deed wanneer ze thuiskwam. Ze liep altijd het liefst op blote voeten, en alleen als het heel erg koud was, deed ze haar sloffen aan.
Daarna pakte ze Lobkes jas, die aan de kapstok hing te druipen en daardoor kleine plasjes had gemaakt op het laminaat in de gang, en nam de jas mee naar de bijkeuken om daar verder uit te druipen. Blijkbaar had Lobke midden in die hoosbui gezeten toen ze van school naar huis fietste, en was ze haar regenpak weer eens vergeten. Hanneke pakte een dweil uit de bijkeuken en gooide die over de plasjes in de gang. Dat kwam straks verder wel. Nu eerst een kopje thee.
Ze vulde de waterkoker, zette die aan, pakte wat theeglazen uit de kast en nam toen de post door. Wat rekeningen, een bankafschrift, de televisiegids, reclamefolders, de gebruikelijke zaken. Hé, een kaart van haar ouders, die een paar dagen bij vrienden in Drente op bezoek waren. Dat is waar, die kwamen vandaag weer naar huis. Vanavond even bellen hoe ze het gehad hadden.
Ze hoorde gestommel op de trap, en even later kwam Lobke

binnen, met in haar kielzog een jongen van haar leeftijd. Hij was net zo lang als Lobke, had mooie ogen, een regelmatig gezicht en leuke krulletjes.

'Hoi, mam, hoe was het met Sanne? Wat een regen, hè?' begroette ze Hanneke. Daarna keerde ze zich om en wees naar de jongen achter haar. 'Dit is Roel. Die zit sinds vorige week bij mij in de klas,' stelde ze hem voor.

Roel gaf Hanneke een hand. 'Roel Sikkens,' stelde hij zich voor.

'Hanneke Schrijver,' zei Hanneke. Toen vervolgde ze: 'Sinds vorige week? Lijkt me lastig, zo midden in een schooljaar te moeten verkassen.'

'Dat is het ook, maar mijn vader kreeg in Hoofddorp een opdracht voor tweeënhalf jaar, en hij had geen zin om zo'n lange periode iedere dag heen en weer te rijden en dagelijks in de file te staan. Dus wilde hij verhuizen, en toen kon ik twee dingen doen: of in Rotterdam op school blijven, maar dan bij mijn tante in huis, of met mijn vader mee, maar dan naar een andere school en daar volgend jaar eindexamen doen. Ik heb gekozen voor het laatste. Vorige week zijn we verhuisd.'

'Zijn moeder is twee jaar geleden overleden,' legde Lobke uit. 'En hij heeft geen broers of zussen. Als *ik* alleen nog maar een vader had, zou ik ook voor dat laatste gekozen hebben.'

'Ik mis mijn vrienden wel, maar gelukkig word ik goed opgevangen op deze school,' ging Roel verder. 'En het is een leuke klas. Het is even wennen aan al die namen, maar ik ken nu de meeste al. Ik weet zelfs al wat bijnamen van docenten.'

'Nou, dan zal ik je eens even overhoren,' grapte Hanneke, die opknapte van de gezelligheid van de jongelui. 'Wie is Zoef de Haas?'

'Dat is een makkie. Dat is Jan, de conciërge, omdat die altijd op zijn snorfiets voorbijzoeft.'

'En Bolle?' vroeg Hanneke.

'Dat is Bakker, de biologieleraar. En je hoeft niet te vragen waarom.'

'En Jodocus?'

'Even denken... Jodocus, is dat Hoeksma, van scheikunde?'

'Fout,' riepen Hanneke en Lobke tegelijk.

'Je mag nog twee keer raden,' vervolgde Lobke.
Roel pijnigde zijn hersens en zei toen: 'Geen idee. Ik geef het op.'
'Jodocus is Quaak, van Engels. Die heeft A.J. als voorletters, dus we denken dat hij Alfred Jodocus heet, net als Alfred Jodocus Kwak. Maar laat hij maar niet horen dat we hem Jodocus noemen, want het is al zo'n chagrijnige vent.'
'Nou, je hebt er twee van de drie. Voor mij ben je geslaagd,' zei Hanneke. 'Wie wil er thee?'
'Lekker,' zeiden Roel en Lobke allebei. En Lobke bedelde: 'Met een stroopwafel? Er zijn er nog precies drie.'
'Dat is goed. Ik haal morgen wel verse op de markt,' lachte Hanneke.
Toen ze even later in de gezellige zithoek aan de thee en de stroopwafel zaten, vroeg Lobke nog eens: 'Hoe was het bij Sanne?'
Hanneke zuchtte. 'Niet fijn,' zei ze toen. 'Arjen gaat weg.'
'Hij ook al?' vroeg Lobke. 'Wat doen ze daar toch in die instelling met hun personeel?'
'Hij kan leidinggevende worden in Woerden,' legde Hanneke uit. 'Dus voor hem is het fijn dat hij hogerop kan, maar voor Sanne is het een ramp. Het is al de vierde pb'er van Sanne in drie jaar tijd die vertrekt.'
'Wat is een pb'er?' vroeg Roel.
'Een persoonlijk begeleider, iemand van het team die speciaal de zaken van Sanne behartigt,' legde Hanneke uit. 'Weet je al dat onze Sanne gehandicapt is?'
Roel knikte. 'Ja, dat heeft Lobke me daarnet verteld.'
Hanneke vervolgde: 'Iedere cliënt heeft een persoonlijk begeleider, en die is dan ook aanspreekpunt voor de familie. Arjen was een heel goede. Het klikte echt tussen Sanne en hem, maar hij gaat nu per 1 mei weg. Zoals ik al zei, Sanne heeft in drie jaar tijd al vier pb'ers gehad, en iedere keer lijkt het langer te duren voordat zo iemand een beetje weet hoe Sanne in elkaar steekt en hoe ze in bijzondere situaties het best begeleid kan worden.'
'Balen, mam,' was Lobkes reactie. 'En wie wordt het na Arjen?'
'Daar zijn ze nog niet uit,' verzuchtte Hanneke. 'Niemand had ruimte. Ze starten nu eerst de sollicitatieprocedure, en wanneer

de opvolger van Arjen bekend is, gaan ze het pb'erschap opnieuw indelen. Ze gaan ook met een nieuwe methodiek werken, en daarom moeten alle zorgplannen herschreven worden. Vooral over dat laatste werd nogal gemopperd tijdens de zorgplanbespreking. Daarna ging het niet meer over Sanne.'
'Belachelijk,' was het vernietigende oordeel van Lobke. 'Weer nieuwe zorgplannen. Dat hebben ze vorig jaar toch allemaal nog gedaan?'
'Ja, maar nu wordt die nieuwe methodiek ingevoerd. Daar komt ook een heel computerprogramma bij, en daar passen de oude plannen niet meer in. Dus moeten die nu aangepast worden aan de taal en de structuur van dat programma.'
Roel schudde zijn hoofd. 'Niet om het een of ander, en ik heb helemaal geen verstand van het begeleiden van gehandicapten, maar het klinkt toch wel heel vreemd. Een zorgplan dat aangepast moet worden aan de taal en de structuur van een computerprogramma? Ik zou denken dat een zorgplan geschreven moet worden op de taal en de structuur van Sanne. Het gaat toch om haar?'
Hanneke kon Roel wel zoenen. 'Jongen, dat is taal naar mijn hart. Jij hebt door waar het om gaat. Maar die heren van boven...' Ze stokte.
Op dat moment hoorden ze iemand bij de voordeur, en even later kwam Steven de kamer binnen. Hij liep naar Hanneke toe en gaf haar een kus. Toen keek hij naar de jongelui. 'Zo, jullie zitten hier gezellig bij elkaar,' zei hij met zijn aangename bromstem.
Roel keek op de klok. 'Is het al zo laat? Dan moet ik naar huis. Ik zou koken vanavond.' Hij sprong op en gaf in het voorbijgaan Steven nog even een hand. 'Dag, meneer, ik ben Roel Sikkens en ik ga er nu vandoor. Dag, mevrouw, bedankt voor de thee. Dag, Lobke, tot morgen.' En weg was hij.
Steven keek hem verbaasd na en wendde zijn blik toen naar Lobke. 'Wie was dat?'
'Dat zei hij toch. Roel Sikkens,' zei Lobke met een grijns. 'Mam, bedankt voor de thee. Ik ben weer naar boven. Ik heb een berg huiswerk voor morgen. Kunnen we een beetje bijtijds eten? Ik wil

vanavond nog even langs Aafke en ik moet ook nog naar de bieb. Ik moet een werkstuk maken voor de Terminator. Grrr. Hij met z'n werkstukken.' En weg was ook Lobke.
'O ja, de Terminator, die hadden we ook nog wel kunnen vragen,' zei Hanneke.
Steven schudde zijn hoofd. 'Deze intelligente discussie gaat mijn verstand te boven...'
'Ik leg het nog weleens uit,' zei Hanneke. 'Dag, schat, hoe was jouw dag?'

* * *

Tijdens het koken vertelde Hanneke aan Steven hoe het die middag tijdens de zorgplanbespreking van Sanne was gegaan. Ze werd weer boos nu ze eraan dacht. 'Die toenemende bureaucratie in de zorg. Daar zou je toch wat van krijgen,' brieste ze.
'Hé, die worteltjes kunnen er niks aan doen,' waarschuwde Steven. 'Straks snijd je nog in je vingers.'
Hanneke schoot vol. 'Ja, nou, die... die...'
Steven pakte haar bij de schouders. 'Vertel het maar. Wat is er?'
Nu kwam de opgehoopte spanning eruit bij Hanneke. Ze begon onbedaarlijk te huilen, met gierende uithalen.
Steven nam haar mee naar de bank, ging naast haar zitten en sloeg zijn arm om haar heen. Zo zaten ze een poosje, totdat Hanneke weer wat tot rust kwam.
Toen vertelde ze: 'Arjen gaat weg.'
Steven fronste zijn wenkbrauwen. Ineens begreep hij de huilbui van Hanneke. 'Wat zeg je me nu? Gaat Arjen weg? Weer een pb'er van Sanne?'
Hanneke knikte. 'Hij kan leidinggevende worden in een woonzorgcentrum in Woerden. Fijn voor hem, maar een ramp voor Sanne en de andere cliënten. Arjen is een van de besten, iemand die nog echt oog heeft voor de cliënten. En dat is in deze tijd van bureaucratisering een zeldzaamheid aan het worden, lijkt het wel.'
Steven schudde zijn hoofd. 'Zie je het nu niet te somber in?'

Hanneke lachte even, maar het klonk wat schamper. 'Natuurlijk zie ik het nu te zwart-wit, en ik weet best wel dat de meeste mensen in de zorg hun hart op de juiste plaats hebben. Maar degenen die het voor het zeggen hebben, praten alleen nog maar over geld en protocollen en procedures, en het is steeds vaker alsof ze er helemaal niet over denken hoe cliënten zich moeten voelen onder al die veranderingen. Ik hoorde vanmiddag dat ze nu verplicht zijn een kwaliteitscertificaat te halen. Anders kunnen ze zichzelf wel afschrijven als zorginstelling. Dan mogen ze geen zorg meer leveren. Dan denk je als ouder: fijn dat ze nu dus de kwaliteit van zorg op waarde gaan schatten. Ons kind krijgt dan meer aandacht. Er wordt meer gelet op de houding van de hulpverleners en zo. Maar nee, die kwaliteit blijkt gemeten te gaan worden aan de hand van de vraag of je al je administratie wel op orde hebt. Nu vraag ik je! Papier is geduldig. Iets kan op papier heel mooi staan, maar als het in de praktijk niet werkt, is heel zo'n papiertje waardeloos. En al die tijd en aandacht die het personeel aan papierwerk moet besteden, gaat weer af van de tijd en aandacht voor de cliënten.' Ze snikte weer even.
Steven, als accountant, voelde zich toch wat aangesproken. 'Maar cijfers en letters kunnen ook aantonen of iets goed of niet goed gebeurt. Gelukkig maar, want anders zat ik zonder werk...'
Hanneke dacht even na en zei toen: 'Ik zal eens een gek voorbeeld geven. Vanmiddag, toen ik naar huis reed, werd ik me ineens bewust van de strepen op de weg. Dat er ik weet niet hoeveel mensen aan te pas komen om die daar op die plaats en op die manier en met die verf en zo aan te brengen. Niet alleen de mensen die die strepen daadwerkelijk aanbrengen, maar daaraan voorafgaand allerlei machines die daarbij gebruikt worden, en die ook eens bedacht zijn door iemand, en die bestaan uit onderdelen die met behulp van andere machines gefabriceerd zijn, die ook ooit eens ontworpen zijn, en gemaakt van een metaal dat op een metaalfabriek gemaakt is. En zo kan ik nog wel even doorgaan. Allemaal voor die strepen op de weg. Allemaal mensen die daar indirect bij betrokken zijn. Zo zijn er in de zorg voor Sanne, en overal in de zorg, heel veel mensen werkzaam die indirect bij die zorg be-

trokken zijn. En dan bedoel ik niet de mensen van de salarisadministratie, van personeelszaken of van de technische dienst, maar verder weg: directies en beleidsmedewerkers en indicatieadviseurs en politici, mensen die bedenken hoe het in de zorg geregeld moet zijn. En het lijkt er de laatste tijd steeds meer op dat juist de mensen die het verst van de werkvloer afstaan, bepalen hoe het op die werkvloer geregeld moet worden. Dat ze van bovenaf bepalen dat er weer eens een ander soort zorgplan moet komen, niet omdat die oude niet voldoen, maar gewoon omdat je toch met je tijd mee moet gaan of omdat er iets overwaait vanuit Amerika. Natuurlijk weet ik wel dat er altijd verbetering mogelijk is. Er komen nieuwe ideeën, nieuwe technieken, en dat juich ik ook toe. Als iets ertoe kan bijdragen dat bepaalde onderzoeken bij patiënten minder pijnlijk worden door de aanschaf van nieuwe instrumenten, ben ik de eerste die zal pleiten voor die aanschaf. *Dat* vind ik een voorbeeld van verbetering van kwaliteit. En dat er accountants aan te pas moeten komen om te kijken of zo'n instelling haar financiën wel goed beheert, dat begrijp ik ook nog wel. Uiteindelijk gaat het om overheidsgeld. Maar dat men het begrip 'kwaliteit in de zorg' gaat koppelen aan het op orde zijn van de administratie, dat vind ik geen goede zaak,' besloot Hanneke haar betoog.

Steven stak even zijn neus in de lucht. 'Kan het zijn dat de aardappels aanbranden?' vroeg hij toen voorzichtig.

Hanneke vloog overeind, maar het was al te laat. Toen ze het deksel van de pan haalde, kwam haar een dikke walm tegemoet. Die kon ze wel weggooien. Wat nu? Dan maar een zakje puree klaarmaken, die met crème fraîche, lekker makkelijk en snel klaar. En in plaats van de worteltjes te koken kon ze een wortelsalade maken, met sinaasappel. Dat lustte Lobke graag. Ze gooide de verbrande aardappels in de schillenbak voor de groenbak straks, en deed water en een beetje soda in de pan, zodat die alvast kon weken. Daarna deed ze de viscuisine in de magnetron, zette in een andere pan water en melk op voor de puree en keerde zich toen weer naar Steven. 'Wil jij even twee sinaasappels pellen?'

Toen ze gezellig naast elkaar aan het aanrecht stonden, kwam

Hanneke nog even terug op het gesprek van daarnet. 'Weet je, toen ik vanmiddag tijdens het autorijden na zat te denken over die strepen, merkte ik ineens dat ik mijn aandacht niet bij de weg had. Of juist wel, op een detail van de weg, maar ik verloor daardoor het overzicht op het grote geheel. En dat is niet zo slim wanneer je deelneemt aan het verkeer op een drukke weg. Dan kan het niet anders of er worden brokken gemaakt. Waar ik nu bang voor ben, is dat de aandacht in de zorg verschuift van de cliënten naar details die er in het grote geheel niet of nauwelijks toe doen. Zoals bij mij van het letten op het verkeer naar het kijken naar en nadenken over de strepen. En dat men bij kwaliteitsverbetering meer nadenkt over de manier waarop die strepen nog mooier van vorm en nog perfecter van kleur kunnen zijn dan over de vraag hoe het verkeer veiliger kan worden. En dat men bij een kwaliteitsmeting voor zo'n certificaat alleen maar een liniaaltje langs die strepen gaat leggen in plaats van bijvoorbeeld het rijgedrag van de chauffeurs te onderzoeken. Terwijl die strepen alleen maar een middel zijn om het verkeer in goede banen te leiden, en geen doel op zichzelf. Dus dat is een verkeerd soort aandacht, net als bij mij. Snap je?' Ze keek wat hulpeloos naar Steven. Die lachte. 'Ik snap je helemaal. Nu de rest van hulpverleningsland nog.'

* * *

Na het eten verdween Lobke naar de bibliotheek. Ze zou eerst even langs Aafke gaan, haar oudste zus, die sinds vorig jaar op zichzelf woonde in een flat in het centrum. Aafke werkte bij de afdeling Personeelszaken van een groot administratiekantoor. Steven had stiekem gehoopt dat hij met een van zijn dochters zijn voorliefde voor cijfertjes zou kunnen delen, maar hoewel zowel Aafke als Lobke net als hij een wiskundeknobbel had, uitte zich dat bij hen alleen in het lol hebben in het oplossen van hersenkrakers en sudoku's. Het ging niet zo ver dat ze van cijferwerk hun beroep wilden maken. Lobke wilde na de havo naar de opleiding voor fysiotherapie.

Gelukkig was het opgehouden met regenen, maar er stond nog steeds een stevige wind.
'Doe je ski-jack maar aan. Je jas is nog niet helemaal droog. Die heb ik in de bijkeuken gehangen,' zei Hanneke tegen Lobke, toen ze merkte dat die bij de kapstok naar haar jas stond te zoeken.
'O, bedankt, mam. Je bent super.'
'Geef je Aafke een knuffel van ons? En wil je vragen of ze zin heeft om zondag te komen eten?' vroeg Hanneke.
'Doe ik. Doei. Tot straks.'
Hanneke ruimde de vaatwasser in, terwijl Steven voor koffie zorgde. Even later zaten ze naast elkaar op de bank aan de koffie. Steven keek altijd graag naar het RTL-nieuws van halfacht. Dat sloeg hij maar zelden over. Na het nieuws zetten ze de televisie uit. Vanavond was er weinig bijzonders.
Hanneke kwam nog even terug op de zorgplanbespreking van vanmiddag en de invulling van het pb'erschap voor Sanne. 'Ik heb mijn mond gehouden toen de discussie ging over de vraag wie er nog ruimte had in plaats van de vraag wie er het meest betrokken is bij Sanne,' zei ze. 'Maar ik wil hun dat nog wel teruggeven.'
'Groot gelijk,' zei Steven. 'Zullen we dat zaterdag samen doen, wanneer we Sanne gaan halen? Dan kunnen ze dat meenemen in hun discussie.'
'Fijn. Je bent een schat,' zei Hanneke. Ze pakte het boek dat ze aan het lezen was, en schurkte zich lekker tegen hem aan. 'Als ik jou niet had...'
'Als je mij niet had, en allebei je ogen niet, dan was je stekeblind,' grapte Steven. Toen pakte ook hij zijn boek. Daarna daalde er een vredige stilte over de kamer.

2

Die zaterdag gingen Hanneke en Steven aan het eind van de ochtend Sanne halen. Meestal deed één van hen dat, terwijl de ander de weekboodschappen haalde, maar deze keer gingen ze samen.

Hanneke had een grote tas bij zich met schone was voor Sanne. Wasgoed was er altijd. Sanne werd soms wel drie keer op een dag verschoond. Hanneke had ervoor gekozen de was van Sanne zelf te blijven doen. Ze deed het graag, en zo wist ze zeker dat er niets zoekraakte bij de wasserij.

Steven parkeerde de auto bij De Roos, de afdeling waar Sanne verbleef. Daarna liepen ze samen naar binnen.

Ze liepen eerst langs het 'aquarium', zoals de rechthoekige verpleegunit met haar glazen ramen genoemd werd.

Daar zat Arjen de rapportage bij te werken. Hij stond op toen hij Hanneke en Steven zag aankomen en begroette hen vriendelijk.

'Gefeliciteerd met je nieuwe baan. Fijn voor jou, maar jammer voor Sanne en voor ons,' zei Steven.

'Tja, ik ben er zelf ook een beetje dubbel in,' zei Arjen. 'Enerzijds ben ik natuurlijk blij dat ik aangenomen ben in Woerden. Niet alleen omdat ik dan hogerop kan en weer een andere kant van mezelf kan ontwikkelen, maar mijn vriendin woont daar ook, en we zijn eraan toe te gaan samenwonen. Maar anderzijds voelt het ook alsof ik de boel hier een beetje in de steek laat.'

'Wanneer wordt de sollicitatieprocedure gestart?' vroeg Hanneke.

'Vanmorgen stond de advertentie in de krant. Heb je die niet gezien?'

Hanneke schudde haar hoofd. 'Nee, ik heb de krant nog niet gelezen. We hebben vanmorgen uitgebreid zitten ontbijten met de meiden. Aafke is gisteravond al gekomen en is dit weekend ook thuis. En daarna zijn we de weekboodschappen gaan doen.'

'Nu ik je toch zie, we wilden je vragen of je in de sollicitatiecommissie zitting wilt nemen. Als vertegenwoordiger van de cliënten,' zei Arjen.

Hanneke fronste haar wenkbrauwen. Arjens vraag overviel haar een beetje. Ze dacht even na en zei toen: 'Dat wil ik wel. Wat wordt er dan van mij verwacht?

'Er komen twee commissies: eentje namens het personeel, waar Jolanda als leidinggevende, Sjors namens het team en ook nog iemand van Personeelszaken in zitten, en eentje namens de cliënten en hun vertegenwoordigers. Daarin zitten ook drie mensen: Bart, de voorzitter van de bewonersraad, Tineke, de moeder van Kees, en jij dan.'

'En wanneer zijn de sollicitatiegesprekken?' vroeg Hanneke.

'De gesprekken zijn op donderdag 17 april, waarschijnlijk 's middags. De kandidaten hebben dan eerst een gesprek met Jolanda, Sjors en Personeelszaken, en meteen daarna met jullie.'

'Oké.'

Steven zag aan Hannekes gezicht dat ze in gedachten al bezig was met de gesprekken. Hij lachte. Dit was typisch Hanneke.

'Dan zal ik wel contact zoeken met Bart om de gesprekken voor te bereiden. Ik heb al wel een idee over de vragen die ik wil stellen,' zei Hanneke.

Arjen lachte. 'Dat dachten we al. Daarom wilden we jou hebben,' zei hij.

Hanneke fronste haar wenkbrauwen. 'Ik kwam met een heel vervelend gevoel terug van de zorgplanbespreking woensdag,' begon ze toen. Ze keek naar Steven, die haar bemoedigend toeknikte.

'O?' vroeg Arjen. 'Waardoor?'

'Ik heb me eraan zitten storen dat het nauwelijks over Sanne ging, maar meer over jullie klachten over de nieuwe methodiek en het werk dat die meebracht. Maar ik heb me er nog meer aan gestoord dat bij de vraag wie er na jou pb'er van Sanne moet worden, het alleen maar ging over de vraag wie er ruimte had, en niet over de vraag wie het meest betrokken is bij Sanne. En daar werd ik steeds bozer over. Ik had dat natuurlijk beter meteen kunnen zeggen in plaats van met een boos gevoel naar huis te gaan.'

Arjen knikte. 'Ik zou in jouw plaats ook boos geweest zijn. Maar de vraag naar ruimte is helaas net zo legitiem. Er zijn maar een paar pb'ers in ons team, en we moeten daarin niet alleen kijken naar het aantal bewoners per pb'er, maar ook naar de zwaarte van de verschillende bewoners. Kijk, jullie zijn vaak hier en jullie zijn nauw betrokken bij de zorg rondom Sanne, maar er zijn ook bewoners die nauwelijks familie hebben of van wie de familie te ver weg woont om er nauw bij betrokken te zijn. Zulke bewoners leggen een grotere druk op een pb'er.'

'Dat weet ik wel,' zei Hanneke, 'maar dan nog ken jij Sanne goed genoeg om te weten dat zij sterk kan reageren op sommige mensen en dat ze supergevoelig is voor de manier waarop ze benaderd wordt. Jij voelt dat goed aan, maar we merken regelmatig dat niet iedereen dat blijkbaar aanvoelt. Zo'n fingerspitzengefühl heb je of dat heb je niet. Bijvoorbeeld wanneer ze naar de tandarts moet. Dat is altijd heel ingrijpend voor Sanne. Wij hebben dan het liefst dat jij meegaat, want jij bent in staat haar het rustigst te houden. En dat zouden we ook graag zien bij een nieuwe pb'er. Houden jullie ook daar rekening mee bij het kiezen van jouw opvolger?'

Arjen knikte. 'Natuurlijk nemen we dat soort dingen ook mee. Alleen zijn dat pas doorslaggevende dingen als de keuze gaat tussen twee mensen. Bij een tandartsbezoek is het bijvoorbeeld niet per se noodzakelijk dat de pb'er meegaat. Wel houden we rekening met het plannen van een afspraak met de tandarts dat er dan iemand dienst heeft die Sanne begrijpt en rustig kan krijgen. Maar we kunnen dat niet als prioriteit nemen bij het verdelen van het pb'erschap. Want dan zou telkens bij de komst van een nieuwe bewoner of het vertrek van een personeelslid alles omgegooid moeten worden, en dat geeft dan bij iedereen onrust, niet alleen onder de cliënten, maar ook onder het personeel. En dat willen we niet. Begrijp je?'

Hanneke keek naar Steven.

Die knikte.

'Oké, ik begrijp het,' zei ze toen. 'Bedankt voor je uitleg. Waar is Sanne?'

'Sanne is nog even met de groep naar de grote zaal. Joop is vandaag zestig geworden, en zijn familie heeft een artiest uitgenodigd om dat hier met Joop te vieren. Gaan jullie haar zelf halen of zal ik het doen?'

'Nee, we gaan zelf wel. Dan kunnen wij Joop ook nog even feliciteren,' zei Hanneke. 'Ik leg eerst de schone was weg en haal de vuile, en dan gaan we Sanne halen. We nemen haar dan meteen mee. We komen hier dus niet meer terug. Heb je haar medibox klaar?'
Arjen pakte de weekendbox met de medicijnen van Sanne en gaf die aan Hanneke. Die stak hem in haar handtas.
'Rustige dienst verder, en tot ziens,' zeiden Steven en Hanneke, en daarna liepen ze gearmd naar de afdeling en vervolgens naar de grote zaal.
Daar was het een gezellige drukte. De artiest op het geïmproviseerde podium zong liedje na liedje en stimuleerde de aanwezigen om mee te zingen. De bewoners zaten kriskras door de zaal, met daartussen personeel en vrijwilligers. De familie van Joop liep heen en weer met drankjes en hapjes, en de jarige zat op de voorste rij te stralen. Hij keek breed grijnzend om zich heen, alsof hij wilde zeggen: jullie zien toch wel dat ik het feestvarken ben?
Hanneke en Steven feliciteerden hem en zochten daarna de zaal af naar Sanne. Die zat wat achterin, op haar gebruikelijke manier heen en weer wiegend in haar rolstoel, volledig opgaand in haar eigen wereldje. Pas toen Hanneke vlak bij haar neerhurkte, liet ze een brede glimlach zien.
Hanneke knuffelde haar dochter. 'Dag, Sanne. Mooie muziek, hè?'
'Mooi! Siek!' zei Sanne. Ze ging door met wiegen.
Ook Steven hurkte neer en gaf zijn dochter een kus en een aai over haar bol. 'Hé, stoere dochter van me.'
'Ga je mee naar Aafke en Lobke?' vroeg Hanneke aan Sanne.
Het gewieg werd heviger. 'Ja, huis! Aafke! Lobke!'
'Nou, zo te zien is ze helder vandaag,' zei Hanneke. 'Fijn.'
Ze deden de rolstoel van de rem, hielpen Sanne in haar jas, zwaaiden naar iedereen en liepen toen naar de auto. Hanneke hielp Sanne op de achterbank, terwijl Steven de rolstoel opvouwde en in de achterbak deed.
Sanne zat weer heen en weer te wiegen. 'Ja, huis!' Haar enthousiasme deed Hanneke glimlachen.

Thuis stonden Aafke en Lobke hen op te wachten. Kleine stukjes kon Sanne nog wel zelf lopen, en tussen haar zussen in liep ze naar binnen. Aafke had al koffiegezet.
Eenmaal binnen liep Sanne meteen naar haar speelhoek. Haar favoriete speelgoed was een Nijntje-computer. Daar kon ze een tijd lang mee zitten spelen. Ze ging zitten, zette de computer aan en ging mee zitten hummen en wiegen met de muziek.
Aafke schonk koffie in en serveerde daar de appelkruimeltaart bij die ze 's morgens had gebakken.
'Heb je het nog gezegd op De Roos, dat je zo boos was?' vroeg Aafke. Ze had het hele verhaal gisteravond gehoord.
'Ja. Arjen werkte vandaag, en hij had zelfs begrip voor mijn boosheid,' zei Hanneke. 'En ze hebben me gevraagd voor de sollicitatiecommissie. Dus ik mag meedenken en meepraten over zijn opvolger.'
'Of opvolgster,' zei Lobke droog.
'Of opvolgster,' beaamde Hanneke. 'Al reageert Sanne beter op mannen.'
'Tss, zo jong nog, en dan al een mannenverslindster,' grapte Aafke. 'Pas maar op, Lobke. Voordat je het weet, kaapt ze je vriendjes onder je neus weg.'
Lobke sloot haar ogen en haalde nuffig haar neus op. 'Puh, pas jij maar op. Ik durf mijn vriendjes tenminste nog mee naar huis te nemen. Dat kan ik van jou niet zeggen.'
'Nee, natuurlijk niet. Ik zou wel gek zijn, met twee van die knappe zussen thuis. Die mannen zien mij dan nooit meer staan,' diende Aafke haar zus van repliek.
Hanneke lachte. Dergelijke humor had hen soms door moeilijke tijden heen geholpen, en vooral Aafke was er een ster in. Ondanks de handicap van Sanne waren Aafke en Lobke allebei gek op hun zus. En zij op hen. Dat zag je maar weer vanmorgen aan Sannes reactie.
Dank U, Heer, bad Hanneke in stilte, voor drie prachtige meiden. Ik voel me een gezegend mens.

***

De dag verliep verder rustig.
's Middags ging Hanneke met Sanne in de rolstoel naar de zaterdagse groentemarkt, maar ze was algauw terug. 'Hè, niks lekker met af en toe die regen buiten,' zei ze.
Sanne dook meteen weer in haar speelhoek. Deze keer ging ze aan de slag met het knikkerspel dat Steven eens in een creatieve bui gemaakt had. Ze kon eindeloos kijken naar de kleurige knikkers die van boven naar beneden rolden.
Aafke en Lobke waren boven, en Steven deed wat klusjes in de schuur.
Hanneke belde even naar haar zus Els. Die had een bruidswinkel, waar Hanneke op dinsdag en donderdag hielp. Er werd weer vaker getrouwd de laatste jaren, helemaal in stijl, en de zaak liep goed. 'Hé zus, met mij. Hoe is het? ... Hé, moet je horen. Ik kan op donderdag 17 april niet komen werken, want dan heb ik wat sollicitatiegesprekken. ... Nee, niet voor mijzelf, maar ik ben gevraagd voor een sollicitatiecommissie als vertegenwoordiger van Sanne, want Arjen gaat weg. ... Ja, wij vinden het ook heel jammer. Maar daarom kan ik die donderdag niet. ... De zeventiende. Zal ik dan die vrijdag komen in plaats van donderdag? ... Dat is goed. Dan noteer ik dat. Verder alles goed bij jullie? ... Hier ook. De meisjes zijn alle drie thuis dit weekend. Gezellig. Hé, Sanne huilt. Ik hang gauw op. ... Ja, jij ook, de groeten aan Ton. Tot dinsdag.'
Hanneke gooide de hoorn op de haak en liep snel op Sanne af, die klagend huilde. 'Wat is er, schat?'
Sanne jammerde: 'Au! Au!' Ze hield haar beide handen stevig tegen zich aan gedrukt en kromde haar schouders.
Het kostte Hanneke enige moeite Sannes handen los te wringen. Toen zag ze het: er zat bloed aan een van de handen van Sanne. Ze nam haar mee naar de keuken en waste het bloed van de hand. Het bleek een klein wondje, en een pleister erop was voldoende om het bloeden te laten stoppen. Sanne bleef echter nog lang van streek. Pijn en bloed waren dingen waarmee ze moeilijk kon omgaan, en waardoor ze snel in paniek raakte.
Daarna ging Hanneke op zoek naar de oorzaak van het wondje.

Ze vond die aan de rand van het knikkerspel, waar een van de knikkerbanen losgelaten had. Er stak een spijkertje uit. Sanne was in haar enthousiasme wellicht wat te ruw te werk gegaan en had er daarna haar vinger aan opengehaald.
Hanneke bracht het knikkerspel naar de schuur. 'Hier, nog een klusje,' zei ze tegen Steven. 'Kom je zo koffiedrinken?'
'Ik kom zo. Ik ben bijna klaar,' zei Steven.
Hanneke liep terug naar de keuken en zette het koffiezetapparaat aan.
Ook Aafke en Lobke kwamen naar beneden. Zij stoeiden en knuffelden een poosje met Sanne, die daar zichtbaar van genoot en daarmee het verdriet van het wondje weer leek te vergeten.
Hanneke keek vertederd naar Sanne. Hè, was al haar verdriet maar zo makkelijk op te lossen als deze keer.

* * *

's Avonds op bed lagen Steven en Hanneke nog wat na te praten over de dag.
'Ik schrik er altijd weer van wanneer ik zie hoe Sanne reageert op pijn en bloed, al is het nog zo weinig,' zei Hanneke. 'Bij de andere meisjes was in zo'n geval een kusje erop vaak voldoende, maar bij Sanne werkt dat niet. Die lijkt dan helemaal in paniek te raken. Lastig, hoor, niet alleen voor ons, maar vooral voor haarzelf. Je zou alles willen doen om te voorkomen dat ze zich bezeert, maar dat lukt helaas niet altijd.'
'Nee,' zei Steven, 'pijn hoort om een of andere rare reden bij het leven, ook voor Sanne. Het willen voorkomen is niet verstandig. We kunnen beter zoeken naar andere manieren waarop ze ermee kan omgaan.'
'Wat ben je toch een wijze man,' was Hannekes reactie.
Steven gaapte. 'Niet alleen een wijze man, maar ook een slaperige.' Hij kuste zijn vrouw zacht op haar lippen. 'Welterusten, schat.'
Even later was huize Schrijver in diepe rust.

3

De volgende morgen werd Hanneke al om kwart voor zeven wakker. Ze keek even opzij.

Steven sliep nog als een roos en lag zacht te snurken.

Hanneke draaide zich op haar zij en keek een poosje naar haar slapende echtgenoot. Wat zag hij er toch lief uit zo, met zijn haar door de war en zijn onderlip die meedeinde met het geblaas en gesnurk. Ze lachte stil voor zich heen. Ze mocht altijd graag naar Steven kijken, al vanaf het begin van hun kennismaking. Ze was destijds als een blok gevallen voor de vriend van haar zwager Ton, die net als hij accountant was, en die ze voor het eerst ontmoet had op de bruiloft van Els en Ton. De lange, knappe man met zijn lachende ogen en aangename stem had meteen haar volle aandacht, en zij maakte blijkbaar op hem ook diepe indruk, want hij had aan het eind van de avond een afspraakje met haar gemaakt om het weekend na de bruiloft samen ergens te gaan eten. Dat was van beide kanten goed bevallen, er werd een nieuwe afspraak gemaakt, en voordat ze het wist, was ze hevig verliefd. Na anderhalf jaar waren ze al getrouwd, en daar had ze nog geen seconde spijt van gehad.

Hanneke lag nog een poosje te draaien en besloot toen op te staan. Ze sloeg het dekbed opzij en stapte voorzichtig uit bed, om Steven niet wakker te maken. Ze gluurde tussen de gordijnen door. De regen en de wind van de afgelopen dagen hadden hun langste tijd gehad, de weersvooruitzichten waren gunstig, en het zonnetje scheen al. Ze kon aan de witte daken zien dat het vannacht licht gevroren had. Ze keek naar de tuin. De prunus onder het slaapkamerraam deed zijn best om vandaag de eerste knopjes open te laten gaan. De magnolia op de begraafplaats achter hun huis had zelfs al wat open bloemen. In de tuin van de buren bloeide de forsythia uitbundig in een zonnig geel. Het werd voorjaar.

Het hele huis was nog in diepe rust, maar Hanneke was nu klaarwakker. Ze besloot zichzelf eens te verwennen met een flinke ochtendwandeling. Ze kleedde zich aan in de badkamer en sloop naar beneden. Sanne sliep meestal vrij licht, hopelijk was zij niet wakker geworden van haar gestommel. Ze pakte haar jas van de kapstok, deed voorzichtig de deur van het nachtslot en stapte naar buiten. Met de sleutel sloot ze de deur weer achter zich, zodat Sanne niet alsnog wakker zou worden van de deur die in het slot viel. Buiten trok ze haar jas aan. Daarna zette ze er meteen flink de pas in. Hè, heerlijk dat de dagen nu langer werden, en het 's morgens al zo vroeg licht werd.

Ze vond alle jaargetijden hun eigen charme hebben: de zomer, waarin ze nauwelijks binnen leefden, de herfst, met z'n kruidige geuren en prachtige kleuren, en de winter, waarin met een boekje bij de open haard zitten een van haar favoriete bezigheden was. Maar de lente was haar het liefst. Daar keek ze ieder jaar weer naar uit. Het tere, zachte groen van de beginnende blaadjes, de uitbundige kleuren van de krokussen, narcissen, hyacinten, forsythia en ribes, de zachte pluizige katjes van de hazelaar, de dikke kastanjeknoppen, ze verwelkomde dat alles ieder voorjaar weer.

De ochtendkou zorgde voor tranen op haar wangen. Ze ademde diep in. Hè, heerlijk, die frisse voorjaarslucht. Een man die zijn hond uitliet, was het enige menselijke wezen dat ze tegenkwam, maar wel klonken er al overal geluiden: het gehamer van een specht, kwetterende koolmeesjes, fluitende merels, piepende meeuwen en koerende duiven. In de verte kraaide een haan. Een brutale merel kruiste vlak voor haar voeten haar pad, misschien al wel op zoek naar takjes voor een nest.

Na een paar minuten was ze aan de rand van het dorp. Er hing een lichte ochtendnevel over het land, als een geheimzinnig waas. Ze volgde een van de routes die ze vaak met Steven liep. Ze hadden diverse wandelroutes rondom het dorp: het 'lange rondje' van vijf kwartier, het 'korte rondje' van drie kwartier, het 'rondje linksom' en het 'rondje rechtsom', beide van een uur. Deze keer nam ze het 'rondje rechtsom', langs de molen.

De kopjes van de narcissen langs het fietspad stonden in de schaduw en wezen nog naar de grond, in afwachting van de zon die hun kopjes zou oprichten. Haar buurman, die van een 'zware' kerk was, zou zeggen: 'Buurvrouw, die narcissen weten het wel. Ze wijzen naar de grond. Daar komen we vandaan en daar gaan we weer naartoe. Zo staat het ook in de Schrift: stof zijt gij, en tot stof zult gij wederkeren.'

Ze lachte even. Ondanks hun verschillende kijk op geloof en kerk konden ze het altijd goed vinden samen, buurman Jan en zij. Zijzelf was wel kerkelijk opgevoed, Steven en zij waren ook in de kerk getrouwd, en de kinderen waren er gedoopt, maar ze hadden in de loop der jaren het instituut kerk de rug toegekeerd. Wonderlijk genoeg vond ze zelf dat dat haar geloof en vertrouwen in God eerder versterkt had dan dat ze er ongelovig door geworden was. Misschien omdat ze daardoor haar persoonlijke relatie met God meer op haar eigen manier invulling kon geven. Ze mocht er graag met buurman Jan over praten, en al waren ze het lang niet altijd met elkaar eens, hun gesprekken verliepen altijd in goede harmonie.

* * *

Het water in de vaart langs de huizen aan de rand van het dorp lag er rimpelloos bij. Alleen een meerkoetje maakte al zwemmend concentrische cirkels. De slootjes bij de boerderijen waren echter nog bevroren. Hanneke stond er even bij stil. Prachtig, die verstilde randen wit rondom de sprietjes die boven het water uitstaken. Ze herinnerde zich de ijsbloemen die ze vroeger als kind zo prachtig had gevonden. Haar zus Els en zij hadden weleens geprobeerd die na te tekenen, maar dat was te moeilijk gebleken. Ze hadden gaatjes in de bloemen geblazen met hun warme adem, en konden daardoor dan naar buiten kijken. Dat had ze hun eigen kinderen nooit zien doen, bedacht ze ineens. In de huizen van tegenwoordig met hun centrale verwarming en dubbel glas kwamen natuurlijk geen ijsbloemen meer voor. En de winters leken ook steeds minder streng te worden. Hoe lang was het al niet geleden dat Steven had kunnen schaatsen op natuurijs?

Ze kreeg het al snel warm van het lopen. Eerst had ze de rits van haar jas al losgemaakt, maar nu overwoog ze haar jas uit te doen.

Zou dat kunnen? De rijp lag nog op het land. Even proberen. Ze trok haar jas uit en voelde of dat niet te koud was. Het viel haar mee. Met de jas over haar schouder, haar vinger in het lusje, liep ze verder. Hè, heerlijk. Steven zou haar voor gek verklaren als hij nu naast haar liep: 'Jij hebt ook je verstand niet.' Maar Steven lag nog in bed, en zij liep hier lekker buiten in de voorjaarszon.
Ze stapte verder en werd zich ineens bewust van haar gezonde lijf. Haar ogen, waarmee ze al dat prachtigs in de uitbottende natuur in zich kon opnemen. Haar oren, die de diverse vogelgeluiden opvingen. Haar neus, die de zuivere lucht inademde. Haar longen, die de zuivere lucht naar haar bloedvaten voerde. Haar hart, dat dat bloed met regelmatige slagen door haar lichaam pompte. Haar benen, die – ook al waren ze wat te stevig naar haar zin – haar droegen waarheen ze maar wilde.
Ze stond meestal nauwelijks stil bij haar gezondheid, alsof die iets vanzelfsprekends was. Wel had ze tijdens haar zwangerschappen altijd diepe verwondering gevoeld voor het feit dat er in haar lijf zoiets wonderlijks mocht gebeuren. Dat daar, zonder dat zij daar na de conceptie iets bewust voor hoefde te doen of te laten, een wezentje groeide uit wat begonnen was als twee cellen. Met handjes en voetjes op de juiste plaats. Met een lever die werkte, een hartje dat klopte, nageltjes, nieren, noem maar op. Ze had ergens gelezen dat er ooit iemand was gepromoveerd op 'de facetten van een vliegenoog', en dat was een dik boekwerk geworden. Hoe ingewikkeld moest een mensenoog er dan wel niet uitzien. En dat was nog maar een heel klein onderdeel van zo'n complex wezentje.
Toen bleek dat Sanne epilepsie kreeg, en steeds duidelijker werd dat haar hersenen bij iedere aanval meer beschadigd raakten, had Hanneke zich er weleens over verbaasd dat de andere delen van Sannes lichaam zich gewoon doorontwikkelden, alsof die losstonden van haar hersenen. Plassen en poepen ging gewoon door. Ze herstelde snel van kinderziekten als mazelen en waterpokken. Een wondje genas 'vanzelf'. En Sanne kreeg borsten en werd ook ongesteld op dezelfde leeftijd als andere meisjes. Wel reageerden haar spieren op de toenemende aanvallen, en werd ze licht

spastisch, maar ze was bijna nooit ziek. Haar afweersysteem werkte blijkbaar prima.
Hanneke voelde een diepe dankbaarheid naar haar Schepper toe. 'Dank U, Heer,' zei ze hardop. 'Dat ik mag leven. Dat ik mag ervaren hoe wonderlijk uw schepping is. Dat ik ogen heb om mee te zien, oren om mee te horen, benen om mee te lopen, handen om mee te geven, een hart om mee lief te hebben.'
Ze naderde de huizenrij weer. De plasjes daar waren al bijna ontdooid, en het ijs erin leek op puntige glasscherven. De staartmeesjes die altijd zo gezellig de bomen achter hun huis bevolkten, kwetterden dat het een lieve lust was. Het zou een mooie dag worden.
Toen was ze weer thuis. Ze snoof nog één keer de frisse buitenlucht in en stapte via de achterdeur naar binnen. Ze hing haar jas op de kapstok en liep de keuken in.
Steven was nu ook op en zat aan tafel de zaterdagkrant te lezen. De bijlagen bewaarde hij altijd voor de zondag.
'Zo, lekker gewandeld?' vroeg hij.
'Heerlijk,' was het antwoord van Hanneke. 'Ik kon niet meer slapen, en met Sanne vandaag thuis komt het er toch niet van een eind te gaan lopen. Dus heb ik het maar even waargenomen.'
'Verstandige meid,' bromde Steven. 'Trek in een vers kopje thee?'
'Graag.'
Met haar handen om het kopje genoot ze met volle teugen van de warme thee. Het was toch wel fris geweest, zo zonder jas.
'Zo. Nu nog even lekker douchen, en daarna kan ik er weer een hele dag tegenaan.' Neuriënd liep ze de trap op.

* * *

Aan het eind van de middag brachten Hanneke en Lobke Sanne terug. Hanneke was blij dat Sanne er na een weekend thuis nooit een punt van maakte terug te gaan naar De Roos. Voor haar was dat ook 'thuis'.
Nadat ze Sanne naar haar gezellige kamertje hadden gebracht, liepen ze nog even langs het 'aquarium'.

Sara, de dienstdoende begeleidster, vroeg hoe het weekend verlopen was.
Hanneke vertelde van het incident met de knikkerbaan. 'Steven heeft de knikkerbaan gerepareerd, en Sanne heeft er vanmorgen zonder aarzelen weer naar gepakt,' vertelde Hanneke opgelucht. 'De pleister was er bij het douchen afgegaan, maar die bleek niet meer nodig. En verder hebben we een prima weekend gehad, met weinig aanvallen.'
'Ja,' zei Sara, 'wij hebben ook de indruk dat het weer bergopwaarts gaat. Sanne heeft vorige week een dipje gehad. Ze leek zelfs af te vallen.'
'O, dus dat was jullie ook opgevallen? Ik wist het niet zeker, maar ik meende het ook te zien,' zei Hanneke. 'Maar ze heeft van het weekend lekker zitten smikkelen. We hadden haar lievelingskostje: pasta met zalm.'
'En karamelvla toe. Daar zou ze wel een heel pak van lusten,' lachte Lobke.
'Nou, fijn dat het goed gegaan is,' zei Sara. 'En ik heb uit de rapportage begrepen dat jij in de sollicitatiecommissie zitting wilt nemen?' Toen Hanneke bevestigend knikte, vervolgde ze: 'Jullie balen er vast net zoveel van als wij dat Arjen weggaat.'
'Nou,' zeiden Hanneke en Lobke tegelijk. 'Maar ja, wel fijn voor Arjen zelf,' voegde Hanneke eraan toe.
Daarna namen ze afscheid van Sara en reden ze terug naar huis.
'Nog eventjes, dan kan ik jou rijden, mam,' grijnsde Lobke. 'Ik kan niet wachten totdat ik mijn rijbewijs heb. Dat lijkt me supergaaf.'
'Nou, je kent onze afspraak: als je tot je achttiende niet rookt, betalen wij je rijbewijs. Dus nog even volhouden.'
'Pff, alsof me dat zo veel moeite zal kosten,' schamperde Lobke. 'Er zijn er bij ons in de klas zat die roken. Nou, mij niet gezien, hoor. Niet alleen zonde van mijn geld, maar ook van mijn gezondheid. En die is me veel te lief. Gelukkig denkt Roel er ook zo over,' vervolgde ze.
Hanneke trok haar wenkbrauwen op. 'Zo. Dat klinkt alsof je dat belangrijk vindt?'

Lobke haalde haar schouders op en zei: 'Ik vind hem wel errug leuk, mam. Hoe wist jij dat pap de ware voor jou was?'
Hanneke lachte. 'Dat klinkt echt serieus, 'de ware'. Wel, meisje, dat weet je door goed naar je hart te luisteren.'
Lobke fronste haar wenkbrauwen en zei: 'Flauw. Ik wist dat je dat zou zeggen. Maar hoe weet ik nu wat mijn hart zegt?'
'Tja, dat weet je op het moment dat je ervaart dat er meer meespeelt dan alleen maar rationele argumenten. Ja, ik kan het ook niet anders formuleren. Sorry.'
'Oké, dan zal ik het daarmee moeten doen. Nou ja, we hebben nog tijd genoeg om erachter te komen of het iets wordt tussen ons.'

* * *

Later zou Hanneke aan deze woorden terugdenken. Want die tijd leek ineens een heel betrekkelijke factor te worden...

4

'MAM, HEB JE M'N ZWARTE SPIJKERBROEK GEZIEN? IK KAN HEM NIET vinden.'
Lobke hing uit het raam van haar slaapkamer en keek naar Hanneke, die net de laatste was aan het binnenhalen was. Die had de hele dag lekker gedroogd, en Hanneke wist dat ze vanavond een voldaan gevoel zou hebben wanneer de schone was weer in keurige stapeltjes over de verschillende kasten verdeeld zou zijn. De grootste helft was al gevouwen. Nu deze was nog, en dan de strijk, en dan was ze weer klaar voor vandaag. Ze was blij met haar droger wanneer het regende, maar er ging toch niets boven de lekkere frisse geur van beddengoed dat buiten in de wind gedroogd was.
'Ja, die spijkerbroek had ik nog maar even uitgewassen. Ik dacht wel dat je die wilde meenemen. Kom hem maar halen. Hij is net droog,' riep ze naar boven. Ze liep met de wasmand op haar heup naar de keuken en hoorde Lobke de trap af komen. Hanneke zocht tussen de was en viste de spijkerbroek eruit. 'Hier is-ie.' Ze gaf hem aan Lobke en vroeg: 'En, heb je alles al gepakt voor de grote reis?'
Lobke lachte. 'Nou, grote reis... Het is maar net het water over. Hemelsbreed is België misschien nog wel verder weg dan Londen.' En terwijl ze de spijkerbroek opvouwde, zei ze: 'Ja, met deze spijkerbroek heb ik alles. Ik heb er zo'n zin in.'
'Dat kan ik me voorstellen,' zei Hanneke. 'Zeker na die drukke toetsenweken. Nou ja, je hebt er hard genoeg voor gewerkt. Hopelijk hebben jullie mooi weer. Je weet het, hè, in Engeland regent het nog vaker dan in Nederland.'
'Nou, ik heb net op teletekst gekeken, en ze geven voor de komende dagen droog en zonnig af. Alleen donderdag is er kans op een bui.'
'Wil je nog dat heuptasje van me lenen voor je portemonnee en je paspoort?'
Lobke trok een gezicht. 'Mam,' zei ze, 'je denkt toch niet dat ik

voor gek ga lopen met zo'n ding. Dat is iets voor mensen van jouw leeftijd en voor de leraren en zo. Nee hoor, ik mag Aafkes minirugzakje lenen. Daarin zit een vakje aan de binnenkant. Daarbij maken zakkenrollers geen schijn van kans. Aafke zou het vanavond nog even langsbrengen. Dan komt ze meteen gedag zeggen.'

'Het zal wel stil zijn van de week. Tjonge, vijf dagen zonder mijn jongste. Hoe kom ik die door?' Hanneke rolde met haar ogen.

Lobke lachte. 'Dan knuffel je maar een keer extra met pap. Of je gaat iedere dag even bij buurman Jan langs, om te klagen hoe zwaar je het hebt zonder mij. En dan zegt hij: 'Buurvrouw, niet klagen, maar dragen, het zijn maar vijf dagen.'' Ze deed een perfecte imitatie van de schraperige stem van buurman Jan.

Ze lachten allebei. Toen hoorden ze een auto aankomen. Hanneke keek op de keukenklok. 'Daar is pappa al. Wat is die vroeg.'

Even later kwam Steven binnen.

Hanneke keek hem verbaasd aan. 'Wat ben jij vroeg.'

Steven gaf haar een stevige omhelzing. 'Dat is toch geen ontvangst wanneer je dierbare echtgenoot eens een uurtje eerder naar huis komt. Dan zeg je: 'Dag, schat. Wat heerlijk dat je zo vroeg bent.''

'Dag schat, wat heerlijk dat je zo vroeg bent,' echode Hanneke gehoorzaam. Ze fronste haar wenkbrauwen. 'Maar waarom ben je zo vroeg?'

Steven keek naar Lobke. 'Nou, aangezien onze jongste dochter morgen voor vijf dagen naar Londen vertrekt, leek het me wel een leuk idee vanavond met haar en Aafke uit eten te gaan. Ik had jou ook mee willen nemen,' zei hij met een jongensachtige grijnslach tegen Hanneke, 'maar ja, als je zo tegen me doet...'

Hanneke speelde zijn spelletje mee. 'Ah, lieve Steven, mag ik ook mee? Dan zal ik heel braaf zijn. Ja?' zei ze met een hoog stemmetje, en ze keek hem met een smachtende blik aan.

'Nou, vooruit, dan zal ik mijn hand maar weer eens over mijn hart strijken,' deed Steven gemaakt bars.

Hanneke sloeg haar armen om zijn nek. 'O, wat fijn,' juichte ze met hetzelfde stemmetje.

'Ja, gaaf, pap,' riep Lobke. Ze gaf haar vader een stevige klap op zijn schouder. 'Weet Aafke het al?'
Steven knikte, wat nogal moeilijk ging met Hanneke die zwaar aan zijn nek hing. 'Ik heb Aafke vanmiddag al gebeld of ze hiernaartoe kwam na haar werk. Ze zou kijken of ze ook iets eerder weg kon.'
Hij kietelde Hanneke in haar zij, die hem meteen daarop losliet. Ze liet dat echter niet op zich zitten en pakte zijn handen stevig beet.
'Waar gaan we eten?' riep Lobke voordat ze naar boven liep.
'Bij de Griek,' kon Steven nog net uitbrengen. De rest van zijn antwoord ging verloren in een stevige stoeipartij.

* * *

De volgende ochtend bracht Steven Lobke met haar koffer naar school. Ze werden uitgezwaaid door Hanneke. 'Veel plezier.'
Bij de school was het al een drukte van belang. Zowel 4- als 5-havo ging mee naar Londen, bij elkaar ongeveer veertig leerlingen. Ook gingen er vier docenten mee, onder wie Meindersma, de leraar Nederlands, alias de Terminator, en Quaak, de leraar Engels, alias Jodocus. Ze hadden stiekem gemopperd toen ze hoorden dat die ook meegingen. 'Als die de lol maar niet verpesten...'
Steven gaf Lobke haar koffer uit de achterbak van de auto en kuste haar toen gedag. 'Dag, meisje. Veel plezier in Londen en tot zaterdag. Hoe laat zijn jullie dan terug?'
'Om ongeveer zes uur. Ons reisschema, met het telefoonnummer van het hotel, hangt in de keuken op het prikbord.'
'Goed, dan zorg ik ervoor dat ik omstreeks die tijd weer hier ben. Nou, ik ga ervandoor. Dag.'
Lobke zwaaide haar vader na en liep toen met haar koffer naar de bus. Joyce, haar beste vriendin, was er al. Ze kenden elkaar al vanaf de kleuterschool.
'Hé, leuk rugzakje heb je,' zei Joyce.
'Ja hè, van Aafke geleend. Toch weleens handig, zo'n grote zus.'

Joyce wees Lobke waar ze haar koffer kwijt kon, en daarna voegden ze zich bij een groepje leerlingen van hun klas.
Lobke keek om zich heen. Ze had Roel nog niet gezien. Hij zou toch niet ziek zijn? Ze had zich er juist zo op verheugd bijna een hele week met hem op te trekken. In zijn bijzijn voelde ze een bepaalde spanning tussen hen, die ze heel prettig vond.
Joyce zag haar zoeken. 'Is je vriendje er nog niet?' plaagde ze.
Lobke gaf haar een duw met haar elleboog. 'Doe niet zo flauw.'
Maar Joyce gaf haar een elleboogstoot terug. 'Dat is niet flauw. Dat is de realiteit. Iedereen kan toch zien dat jullie iets voor elkaar voelen?'
Lobke bloosde en keek haar gespannen aan. 'Is dat zo?'
'Je moet wel blind zijn om dat niet te zien,' vond Joyce. 'Moet je maar eens opletten hoe hij naar je kijkt. En jijzelf gaat altijd helemaal stralen wanneer hij in je buurt komt.'
'Is het zo duidelijk?' zei Lobke verlegen.
'Ja dus. We kunnen meteen de proef op de som nemen. Kijk maar. Daar komt-ie', wees ze met haar vinger in de richting van een grijze Peugeot, waar Roel net uit stapte. Joyce keek gespannen naar de reactie van haar vriendin.
Die bloosde alweer toen ze Roel zag. Ja hoor, duidelijk, die was verliefd.
Roel pakte zijn koffer van de achterbank, tikte even tegen het ruitje van de auto als groet naar zijn vader en kwam toen hun kant op. 'Hoi allemaal.' Hij gaf zijn koffer af aan de buschauffeur en kwam toen naar hun groepje toe.
'*Good morning everybody*,' oefende hij alvast zijn Engels.
'Hé, eh... doe effe normaal, man. We zijn nog niet in Londen,' protesteerde Ivo, een van de jongens van 4-havo.
Maar Roel keek hem met opgetrokken wenkbrauwen aan en zei: '*O dear, what have we here? Didn't sleep well, boy?*'
Ze lachten allemaal.
Ivo grapte terug in een mengeling van krom Engels en Nederlands: '*O, jes hoor, aai sliep verrie wel, senk joe.*'
Dat werd meteen overgenomen door Roel. '*Dets naais. Hef joe ook zo'n zin?*'

Voordat Ivo kon antwoorden, hoorden ze: 'Jongelui, mag ik even jullie aandacht?'
Ze draaiden hun hoofden in de richting van de stem. Daar stond de Terminator, met een megafoon in zijn hand. Hij gaf hun diverse instructies vooraf, zoals niet roken en geen troep maken in de bus, en niet in je eentje op stap gaan in Londen.
'Hij zal dat ding toch niet meenemen naar Londen?' mompelde Joyce.
'Nee, joh, dat zal toch niet?' antwoordde Lobke. 'Er zal in de bus wel een microfoon zijn.'
Ze proestte even. 'Ik zie het al voor me: wij allemaal in Londen achter elkaar in ganzenpas, en hij voorop met dat ding in zijn hand, terwijl hij ons wijst op allerlei bezienswaardigheden.'
'Nou, ik acht hem ertoe in staat,' kreunde Joyce. 'Op die manier worden wij zelf een bezienswaardigheid.'
Na de instructies konden ze een plaatsje gaan zoeken in de bus. Lobke en Joyce gingen naast elkaar zitten, en achter hen zaten Roel en Ivo.
'Wel, *ladies*, zullen jullie je netjes gedragen? Wij kunnen jullie zo mooi in de gaten houden,' zei Ivo.
Joyce en Lobke keken elkaar met een veelbetekenende blik aan, maar zeiden niets.
Roel trok zich aan de hoofdsteun van Lobke naar voren. Hij wrong zijn hoofd tussen beide hoofdsteunen in en zei: 'Ome Roel en ome Ivo zullen goed op jullie passen, hoor. Wees maar niet bang.'
Lobke keek lachend opzij naar Roels gezicht, dat nu heel dichtbij was. Ze bloosde tegen wil en dank.
Roel zag het en zei: 'Leuk kleurtje, Lob.' Daarna trok hij zich terug. Ze zag daardoor niet dat hij zelf ook een kleur kreeg.
Ivo zag het wel. Hij zei er niets van, maar grijnsde breed naar Roel.
Nadat iedereen een plaatsje gevonden had, zette de bus zich in beweging, op weg naar de Belgische grens, en van daar – na een korte tussenstop – naar Calais. Bij Calais was het wachten op de ferry die de bus naar Dover zou brengen. Ze mochten even de bus uit om hun benen te strekken.

'Wel in de buurt blijven, hoor,' waarschuwde de Terminator door de microfoon.
'Ja, pa,' mompelde Joyce zachtjes. 'O, ik krijg wat van die man. Hij doet alsof we kleine kinderen zijn.'
Ze gingen even in de terminalhal kijken of daar iets te doen was, en trokken een flesje cola uit de automaat. 'Toch wel handig dat dat hier met euro's kan,' zei Lobke. 'Heb jij Engels geld bij je?'
Joyce schudde haar hoofd. 'Nee, mijn vader zei dat het goedkoper was mijn ponden in Engeland te pinnen, in verband met de valuta of zo.'
'Mijn tante Els had nog wat ponden en kleingeld liggen van hun laatste tripje naar Engeland, en die heb ik meegekregen,' zei Lobke. 'Bij elkaar toch nog zo'n vijftien pond. Aardig hè?'
'Nou. Ga je mee terug? Volgens mij komt de boot eraan.'
Ze liepen op hun gemakje terug naar de bus, waar de Terminator al zenuwachtig stond te tellen of hij al zijn schaapjes binnen had. De drie andere docenten zaten al in de bus en lieten hem zijn gang gaan.
De overtocht duurde anderhalf uur. Lobke en Joyce stonden met Roel en Ivo langs de reling van de boot. Er stond weliswaar een frisse wind, maar daardoor was er ook een helder zicht.
Lobke genoot. De wind door haar haren, het zonnetje op haar gezicht, een week geen huiswerk of toetsen, Roel in haar buurt. Heerlijk.
Al snel doemden de krijtrotsen van Dover op, met daarbovenop Dover Castle. Het was een prachtig gezicht, '*Typical British*,' aldus Roel.
Na de overtocht ging het verder, naar Londen. Het was eerst wel een vreemd gezicht, al die auto's die links reden. Lobke moest er vooral erg aan wennen dat de Engelse auto's het stuur aan de andere kant hadden. Ze schrok een paar keer toen ze de linker voorstoel leeg zag waar in Nederlandse auto's de chauffeur zat, en dacht: er zit geen chauffeur in die auto, die auto rijdt vanzelf. Ze moest er stilletjes om lachen.
Ze reden door het graafschap Kent, een prachtig gebied, dat ook wel 'de tuin van Engeland' werd genoemd. Maar Lobke zag er

weinig van. Ze was in een lichte slaap gevallen. Het geroezemoes op de achtergrond stoorde haar allerminst, totdat ze ineens Roels stem hoorde: 'Sssst, Lobke doet haar schoonheidsslaapje.'
Ze was meteen klaarwakker. 'Ik slaap helemaal niet.' Verontwaardigd keek ze achterom naar Roels grijnzende gezicht. 'Ik lag alleen lekker.'
Roel weerde haar af, met zijn handen naar haar toe. 'Je hoeft me niet op te eten. Heb je soms honger?'
Nou, ik lust eigenlijk wel iets, bedacht Lobke. Afgezien van dat flesje cola in Calais en een appel op de boot had ze nog niets gegeten. Ze viste in haar rugzakje naar een paar krentenbollen en at er smakelijk eentje op. 'Jij ook een krentenbol?' vroeg ze aan Joyce.
Die schudde haar hoofd. 'Nee, dank je. Ik heb zelf wat bij me.'
Dus at Lobke de andere bol ook op. 'Zo, dat was lekker.'
Ze bereikten Londen aan het eind van de middag, vlak voor de spits.
Lobke keek haar ogen uit. Wat een grote en drukke stad was Londen. Daarmee vergeleken was Amsterdam klein. Met haar neus tegen het raampje gedrukt bekeek ze de krioelende auto's en de typische Engelse taxi's en de rode dubbeldekkers, die zich als mieren in een mierenhoop naar alle kanten verspreidden. Ze wees Joyce op de metrostations, herkenbaar aan de rood-met-witte borden met daarop *Underground*. In de verte zagen ze *London Eye*, het beroemde reuzenrad.
'Daar wil ik in ieder geval een keer in,' zei Joyce.
Bij het hotel aangekomen stapten ze uit. Ze hadden bij de voorbereidingen op school al een kamerverdeling gemaakt, en Joyce en Lobke kwamen op een kamer op de eerste verdieping terecht. De kamer was helaas aan de achterkant van het gebouw, zodat hun enige uitzicht een blinde muur was.
'Nou ja, we komen hier toch alleen maar om te slapen,' vond Joyce optimistisch.
Ze pakten hun koffers uit en probeerden even de bedden. Die vielen mee, niet te zacht en niet te hard. Dat moest lukken voor die paar dagen. Daarna liepen ze terug naar de lounge, waar de

Terminator alweer schaapjes aan het tellen was. Jodocus hield zich opvallend rustig.
'Die is helemaal blij dat hij de hele dag perfect Engels om zich heen hoort spreken, in plaats van het steenkolenengels waarover hij op school vaak moppert,' had Roel lachend gezegd.
Naast het hotel was een soort jeugdherberg, waar ze de eerste keer de warme maaltijd zouden gebruiken. Voor de resterende dagen zouden ze eten in de mensa's van de diverse afdelingen van *Londen University*, die over de stad verspreid lagen. Ook mochten ze op vrijdagochtend een college volgen aan het *Imperial College London*.
Ze werden naar een zaaltje achter in het gebouw gedirigeerd. Daar wachtte de maaltijd: zoute ossenstaartsoep, gehaktbal uit blik, doperwtjes en een kleffe hap aardappelpuree. Het gemopper was niet van de lucht. 'Hebben ze hier geen McDonald's?' 'Moet ik dit eten?' 'Dat zou ik onze hond nog niet voorzetten.'
De docenten waren wat verlegen met de situatie. Dit hadden zij ook niet voorzien.
'Maar goed dat de Terminator zijn megafoon niet meegenomen heeft. Anders zou hij die nu acuut gebruiken,' fluisterde Roel.
Mirjam Foekens, de docente economie en mentor van 4-havo, stond op en vroeg om stilte. 'Wij zijn net zo onaangenaam verrast als jullie,' verontschuldigde ze het docententeam. 'We zullen dit opnemen met de beheerder. Maar op zo'n korte termijn een andere plek voor vijfenveertig man zoeken gaat waarschijnlijk niet lukken. Eet dus in ieder geval iets. We gaan na afloop nog wel ergens een lekker toetje halen.'
Onder veel gemopper werd er toch iets van de maaltijd gebruikt. Daarna stommelden ze met veel geraas het gebouw uit. Maar goed dat ze hier niet meer terugkwamen. Aan de overkant van de straat was een Starbucks, waar ze nog iets gingen drinken en waar ze een lekker stuk gebak kregen. Taarten bakken konden ze als de besten in Engeland.
De avond mochten ze vrij doorbrengen, met weer het dringende advies niet alleen op stap te gaan. Joyce, Lobke, Roel en Ivo besloten samen in de richting van het centrum te lopen. Eerst lie-

pen ze met z'n vieren naast elkaar, maar dat bleek wat lastig, met die volle trottoirs, en bijna als vanzelf kwam Lobke naast Roel te lopen, met achter hen Joyce en Ivo.
Terwijl ze bespraken wat ze de rest van de week allemaal nog zouden gaan doen, liet Roel schijnbaar achteloos zijn hand naast die van Lobke glijden.
Ze voelde zijn aanraking, en er ging een schok door haar heen. Ze durfde hem bijna niet aan te kijken, maar trok haar hand ook niet weg.
Dat moedigde Roel blijkbaar aan, want even later pakte hij haar hand voorzichtig vast.
Lobke keek verlegen opzij en bleef gewoon doorlopen. Toen ze Roel naar haar zag lachen, lachte ze terug.
Hij kneep in haar hand. 'Mag dat?'
Ze kneep zachtjes terug. 'Ja hoor, best.' Best? Ze vond het fantastisch! Even later keek Lobke voorzichtig achterom. Zou Joyce gezien hebben dat Roel en zij hand in hand liepen? Ze zag dat een eind achter hen Joyce en Ivo in een druk gesprek gewikkeld waren, en dat ze helemaal geen oog hadden voor de wereld om hen heen. Lobke lachte even. Dit ging een leuke week worden.

* * *

Toen ze die avond terugkwamen in het hotel, liet Roel haar hand pas los, en daarna deed hij niets anders dan Lobke zacht op haar wang kussen. Maar daarover was ze al zo in de wolken dat ze met een verzaligde glimlach op haar gezicht in de douche dook. Voor de spiegel streelde ze over haar wang. Ze wist het wel zeker: die wang ging ze vanavond niet wassen.
Joyce had er eerst weinig oog voor dat Lobke met haar gedachten elders zat. Ze was zelf vol van haar gesprek met Ivo. 'Dat was leuk, joh,' riep ze in de richting van de douchedeur. 'Hij vertelde me dat hij na de havo iets in de richting van het milieu wil gaan doen, en dat hij dan in een ontwikkelingsland wil gaan werken. Goed, hoor.'
'Hmhm,' hoorde ze Lobke zeggen.

'Ik vind het zo knap van hem dat hij al precies weet wat hij wil. Ik heb zelf nog helemaal geen idee,' vervolgde Joyce.
'Hmhm,' zei Lobke weer.
'Hij heeft een leuk gezicht, hè?'
'Hmhm.' Lobke viel in herhaling.
'En hij heeft gevraagd of ik zin had om een keertje met hem naar de film te gaan wanneer we terug zijn in Nederland. Ik heb ja gezegd.'
'O.'
Joyce keek op. Ze had wel een iets enthousiastere reactie verwacht van Lobke. Luisterde die wel? Eens even proberen.
'En morgen knijpen we ertussenuit, en dan gaan we naar Gretna Green, en daar trouwen we.'
'Hmhm,' zei Lobke weer.
'Lobke Schrijver, je luistert helemaal niet.' Joyce bonsde op de deur. 'Word eens wakker. Sta je te slapen?'
Lobke deed de deur open en keek Joyce verbaasd aan. 'Nee, hoezo?'
'Nou, ik vertel je net dat ik morgen ga trouwen, en het enige wat jij zegt, is: 'Hmhm.''
Lobke schudde een paar keer met haar hoofd, alsof ze een vervelende vlieg wegjoeg. 'Hè, wat zeg je nou? Trouwen? Met wie? Hoezo? Waarom?'
'Hèhè, je bent er weer. Nee, joh, dat trouwen was alleen maar bedoeld om jou te stangen. Waar zat je met je gedachten?'
Lobke staarde voor zich uit. 'Bij Roel...'
Joyce keek haar onderzoekend aan. 'Bij Roel? Heeft-ie eindelijk...?'
Lobke keek verbaasd. 'Hoezo eindelijk?'
'Nou, dat zei ik toch al. Iedereen kon zien dat hij jou van het begin af aan erg leuk vond, en jij hem ook. Ik heb zelfs met Karin om een ijsje van Ben & Jerry's gewed dat het er deze week eindelijk van zou komen. En?'
'We hebben hand in hand gelopen, en hij heeft me op mijn wang gekust...'
'Op je wang? Da's nog niet het echte werk,' besliste Joyce. 'Dat

ijsje krijg ik natuurlijk pas als hij je op je mond gekust heeft. Dus eh... goed je best doen, hoor.'
Lobke lachte maar ging er niet op in. 'Ik duik mijn bedje in, hoor. Slaap lekker. Doe jij het licht uit?' En zonder het antwoord van Joyce af te wachten stapte ze in haar bed en knipte ze het nachtlampje uit.
Joyce schudde haar hoofd. Met verliefde mensen viel niet te praten.

* * *

Die verliefde mensen hadden echter samen wel heel wat te bepraten. Roel zocht Lobke de volgende morgen meteen weer op, en de hele verdere week liepen ze steeds hand in hand. Grapjes die daarover gemaakt werden, deerden hen niet. Die hoorden ze vaak niet eens, zo diep waren ze in gesprek gewikkeld.
Op de laatste avond waren ze samen een eind gaan lopen. Lobke hoorde toen van Roel over de dood van zijn moeder, twee jaar geleden, en hoe snel dat allemaal gegaan was. 'Ze kreeg wat vage klachten en werd pas na een tijdje doorgestuurd naar de specialist. Daar bleek ze alvleesklierkanker te hebben. Er was niets meer aan te doen. Ze gaven haar nog een halfjaar, maar na vier maanden is ze toen al overleden. Mijn vader en ik hebben haar zo lang mogelijk thuis kunnen verzorgen, samen met mijn tante in Rotterdam. Die kwam overdag wanneer wij weg waren. Pas toen het niet meer ging, en ze in coma raakte, is ze naar het ziekenhuis gegaan. Daar is ze na vijf dagen overleden. Kanker is een rotziekte.'
Lobke knikte. 'Gelukkig ken ik niemand in mijn directe omgeving die dat heeft, want het lijkt me verschrikkelijk.'
'Zeker als je er dicht bij staat,' zei Roel. 'Ik heb in die tijd heel erg een broer of zus gemist. Ik... Nou ja, ik weet niet beter dan dat ik enig kind ben, maar het was voor mijn vader toch heel anders zijn vrouw te verliezen dan voor mij mijn moeder te moeten missen. Mijn vader en moeder kregen iets heel bijzonders samen in die laatste maanden, en ik voelde me daarbij weleens een buitenstaander. Ik had er in die tijd heel veel behoefte aan mijn verdriet

over het feit dat mijn moeder dood zou gaan te delen met iemand die hetzelfde ervaarde, met een broer of zus dus.'
Lobke was er stil van. De aanwezigheid van haar zussen had ze altijd min of meer als iets vanzelfsprekends ervaren. Ze kon zich niet voorstellen hoe het zou zijn als ze enig kind was geweest.
'Ik heb er vroeger weleens over gedacht medicijnen te gaan studeren en arts te worden,' ging Roel verder, 'maar door de ziekte van mijn moeder ben ik daarvan afgestapt. Ik bedoel... ik voelde me zo machteloos. En als ik arts zou zijn, zou er natuurlijk ook weleens een patiënt doodgaan, en daar moet ik niet aan denken.'
Lobke knikte en kneep eens in zijn hand. 'Laten we hopen dat wij dat samen nooit hoeven mee te maken.'
Hij keek naar haar. De vele straatverlichting wierp een oranje gloed over haar haren, en de zachte blik waarmee ze naar hem keek, deed hem stilstaan. 'Je bent lief, weet je dat?' zei hij schor.
Lobke stond ook stil. Ze ging tegenover hem staan en keek hem ernstig aan. 'Jij ook.'
En als vanzelf vonden toen hun lippen elkaar in een eerste echte, heerlijke kus.

5

Het was een paar maanden later. Het mooie zomerse weer van de afgelopen weken leek nu toch op zijn einde te lopen. Vandaag was het nog wel lekker weer, maar de voorspellingen lieten een somber beeld voor het komende weekend zien. Het was al goed te merken dat de dagen korter werden, en sommige bomen lieten hun blad al vallen. De herfst stond voor de deur.

Hanneke haastte zich van de bruidswinkel naar huis. Het was druk geweest in de winkel. Ze hadden een flinke collectie kunnen opkopen van een winkel uit de buurt die ermee stopte, en dat bleek nieuwe klanten te trekken. Hannekes benen waren moe. Ze had bijna de hele dag gestaan. Ze was blij dat ze vanmorgen de fiets had laten staan en was gaan lopen. Nu kreeg ze tenminste nog wat beweging. Maar ze had ook een voldaan gevoel. Ze had vandaag drie jurken verkocht, met alles erop en eraan.

Ze wipte nog even binnen bij de supermarkt. Vanavond kregen ze Roel en zijn vader te eten. De meeste dingen daarvoor had ze al in huis, maar ze had nog wat walnoten nodig voor het voorgerecht.

'Tjonge, een voor-, een hoofd- én een nagerecht, en dat op een doordeweekse dag,' had Steven op een overdreven klagerige toon gezegd. 'Dat doe je voor mij nou nooit.'

'Als jij maar één keer per jaar bij mij komt eten, zal ik ook voor jou een driegangendiner klaarmaken, goed?' had Hanneke daarop gereageerd. 'Trouwens, jij mag ook mee-eten, hoor. En we hebben als voorgerecht geitenkaas met honing en walnoten, jouw favoriet.'

'Nou, vooruit dan maar. Je weet ook precies hoe je mij moet verleiden,' had Steven toegegeven.

'Zie je nou dat ook bij jou de liefde door de maag gaat?' had Hanneke lachend gezegd. Het was uiteindelijk uitgelopen op een flinke stoeipartij, gadegeslagen door een glimmende Lobke.

De relatie tussen Lobke en Roel had zich na die eerste kus in Londen ontwikkeld tot een vertrouwde kameraadschap.

'Het zat eigenlijk meteen goed,' had Lobke aan Hanneke uitgelegd. 'Roel is mijn maatje, mijn... mijn...' Ze had naar een passende omschrijving gezocht.
'Bij onze bruiloft heeft de dominee daar een goed woord voor gegeven,' had Hanneke haar geholpen. 'Hij preekte toen over Adam en Eva, en dat Eva uit de rib van Adam gemaakt was. Niet uit zijn hoofd, opdat zij hem niet de baas zou zijn. Niet uit zijn voeten, opdat zij geen voetveeg van hem werd. Maar uit zijn zij, opdat zij zijn naaste zou zijn. Hij noemde dat toen 'zijn tegenover'.'
'Ja, dat is er een mooi woord voor,' had Lobke het woord enthousiast omarmd. En sindsdien was Roel haar 'tegenover'.
Het was druk in de supermarkt. Het was alsof iedereen vanavond eters kreeg, zo vol waren de karretjes van de mensen die in rijen voor de kassa's stonden. Hanneke schoof aan in de kortste rij en hield haar pakje walnoten duidelijk zichtbaar voor zich uit. Misschien mocht ze voorgaan als men zag dat ze maar één boodschap had.
Maar de mensen vóór haar keken strak voor zich uit en leken geen oog voor haar te hebben. Tot overmaat van ramp was de kassarol van de caissière van hun rij ook nog op, en moest die vervangen worden.
Hanneke tikte van ongeduld met haar voet tegen de vloer.
De man achter haar lachte en zei: 'Hoe was het ook weer, de wet van Murphy was dat toch, die zegt dat altijd net de rij waarin jij staat, het langzaamst gaat?'
Hanneke grinnikte met hem mee. 'Daar lijkt het wel op.'
Maar gelukkig ging er toen een nieuwe kassa open, en mocht Hanneke als eerste naar voren. Ze rekende snel af en haastte zich daarna naar huis.
Lobke was zo te zien al thuis, want de tafel was alvast uitgeschoven. Hanneke had verwacht haar in de keuken aan te treffen, maar daar was ze niet.
'Lobke, ik ben thuis,' riep ze in het trapgat naar boven.
Ze hoorde boven wat gestommel, en even later kwam Lobke de trap af.
'Ik was even gaan liggen. Ik was ineens zo moe,' zei ze.

Hanneke keek haar onderzoekend aan.
Lobke zag inderdaad wat witjes.
'Vind je het spannend dat Roels vader voor het eerst hier komt eten?' vroeg ze toen.
'Nee, helemaal niet. Roels vader is oké. Jullie zullen hem ook wel aardig vinden,' zei Lobke. 'Maar ik was op school ook al niet lekker.'
Hanneke voelde even aan het voorhoofd van Lobke. Dat was wat warm. 'Het lijkt erop dat je koorts hebt,' zei ze. 'Heb je je temperatuur al opgenomen?'
'Nee, natuurlijk niet. Ik ben niet ziek,' was de reactie van Lobke. 'Ik ben alleen maar een beetje moe. Het komt vast doordat ik in mijn examenjaar zit. Het is best druk op school.'
'Kun je me zo helpen in de keuken, of wil je nog even blijven liggen?' vroeg Hanneke bezorgd.
'Nee hoor, ik ben alweer uitgerust. Wat kan ik voor je doen?' Lobke liep Hanneke voor naar de keuken.
'Nou, als jij wilt beginnen met het schillen van de aardappels, dan ga ik met het vlees aan de slag. De salade wil ik zo laat mogelijk doen en het toetje heb ik gisteravond al gemaakt.'
'Mmm, lekker, zelfgemaakte perzik-tiramisu,' verheugde Lobke zich al bij voorbaat. Zij was een echt toetjesmens.
Even later stapte Steven binnen. 'Zo, *ladies*,' begroette hij zijn vrouw en dochter, en hij gaf beiden een kus, 'al zo druk aan de slag voor andere mannen dat jullie geen tijd hebben om uitgebreid voor het raam te staan om mij als de heer des huizes te verwelkomen?'
'Ja, pap, voor je aanstaande schoonzoon moet je wat overhebben. Dat is je voorland. De aandacht die ik aan hem besteed, gaat natuurlijk van de aandacht voor jou af.'
'Nou, gelukkig blijf ik verzekerd van de aandacht van je moeder.' Hij wilde Hanneke omarmen, maar die draaide zich van hem weg. 'Dat moet je nog maar afwachten. Dan moet je in ieder geval niet in de weg lopen wanneer ik het druk heb. Misschien wil jij alvast de tafel dekken en een fles wijn uitzoeken? Doe maar rode. We eten vlees.'

Steven maakte een diepe buiging. 'Mevrouw, uw woord is mijn bevel.' Hij liep fluitend naar de kamer.

* * *

Na een uurtje was het eten klaar, en was het wachten op de gasten. Lobke stak alvast wat kaarsjes aan en liet tevreden haar blik over de tafel glijden. Het zag er allemaal erg feestelijk uit. Ook hing er een heerlijke geur in huis van de aardappelschijfjes met verse rozemarijn en knoflookteentjes, die nog in de oven stonden na te garen.
Even later werd er gebeld.
Lobke vloog naar de deur.
Hanneke en Steven volgden wat langzamer.
Roels vader was een goed uitziende vijftiger, met hetzelfde soort krulhaar als zijn zoon, alleen wat dunner en wat grijzer. Hij begroette hen hartelijk. 'Zo, zijn jullie nu de ouders van het meisje dat het hart van mijn zoon veroverd heeft? Ik ben Frank Sikkens. Bedankt voor de uitnodiging. We hadden er allebei veel zin in.'
Roel en Lobke keken elkaar blij aan. De eerste wederzijdse indrukken waren in elk geval positief.
Lobke keek keurend naar Roel: 'Zo, je hebt zelfs een stropdas omgedaan. Staat je goed.'
Roel lachte. 'Tja, zo ken je me nog niet, hè?'
De maaltijd verliep naar ieders wens. Frank Sikkens bleek een aangenaam causeur, die heel enthousiast over zijn project kon vertellen.
Roel en Lobke zaten naast elkaar. Je kon aan de manier waarop ze elkaar regelmatig aankeken, zien dat het goed zat tussen die twee.
'Nog twee jaar. Dan is het weer uitkijken naar een volgend project,' besloot Frank zijn verhaal. 'Dat vind ik het leuke aan dit werk. Het is heel afwisselend, en je komt met allerlei mensen in aanraking.'
'Maar we moeten er wel iedere keer voor verhuizen, en dat is minder leuk,' zei Roel.
Frank knikte. 'Zeker wanneer je nog naar school gaat. Maar na de

middelbare school ga jij toch het huis uit om te gaan studeren, en blijf je niet thuis alleen om je ouweheer gezelschap te houden. Dus dan heb jij er geen last meer van.'

Roel knikte. 'Dat is waar,' zei hij.

Ze bleven nog even napraten over de vele studiemogelijkheden die de jeugd van nu had.

'Er zijn studies bij waar ik zelfs nog nooit van gehoord heb, en waarvan ik geen idee heb wat je daarmee kunt doen,' vertelde Hanneke.

'Wat dat betreft, maken wij je het niet lastig, hè mam?' vroeg Lobke. 'Ik met m'n fysiotherapie en Roel met de sportacademie.'

Hanneke knikte lachend. Ze stond op, stapelde de borden op elkaar en liep ermee naar de keuken.

Steven volgde haar met de schalen, en Lobke met het bestek.

Daarna kwam het toetje op tafel. 'Lobkes lievelingstoetje.' Ook dat werd alle eer aangedaan.

Frank haalde herinneringen op aan een vakantie toen Roel nog klein was. 'Hij was een jaar of vier, en hij mocht in het restaurant waar we toen aten, zelf een toetje uitkiezen. Hij koos aardbeienijs, ik ook, en mijn vrouw koos pistache-ijs. Dat lustte ze erg graag. Roel zei toen dat zijn moeder ook aardbeienijs had gekozen. 'Maar aardbeien zijn toch niet groen?' vroegen we hem. 'Eerst wel,' was het triomfantelijke antwoord van Roel. Sindsdien is bij ons pistache-ijs altijd onrijpe-aardbeienijs,' besloot Frank zijn verhaal.

Iedereen lachte.

'Pap, zet me nou niet voor schut,' deed Roel quasibeledigd, maar ook zijn ogen lachten.

Na het eten was er lekkere cappuccino, en daarna namen Roel en Frank afscheid met de belofte dit nog eens over te doen. 'Maar dan bij mij,' zei Frank. 'Roel en ik kunnen ook heel lekker koken, tenminste, als we er de tijd voor nemen.'

Hanneke had de hele avond Lobke nauwlettend in de gaten gehouden. Die zag er moe uit, met rode blosjes op haar wangen. Hanneke voelde weer eens aan Lobkes voorhoofd en daarna in haar nek. Ze schrok.

'Kind, je hebt stevig opgezette klieren. Heb je keelpijn?'
Lobke schudde haar hoofd. 'Nee, maar ik ben wel hondsmoe. Mag ik naar bed? Of moet ik nog even helpen opruimen?'
'Nee hoor, dat doen wij wel. Ga jij maar lekker slapen. Morgen is het weer vroeg dag,' zei Hanneke.
'Nee hoor, morgen de eerste twee uur vrij. Jodocus is ziek. Dus die lessen vallen uit,' zei Lobke. 'Hè, lekker, morgen uitslapen.' Ze knuffelde haar ouders en liep naar boven.
'Is ze ziek?' vroeg Steven.
'Ik weet het niet,' zei Hanneke. 'Ze was vanmiddag ook al even naar bed gegaan, en dat is niks voor onze Lob.'
'Maar even afwachten hoe het morgen is,' vond Steven, 'en anders maak je maar een afspraak bij de huisarts.'
'Dat zal ze wel niet willen,' bedacht Hanneke. 'Lobke naar de huisarts. Die weet niet eens hoe ze eruitziet. Daar komt ze nooit.'
'Tja, ziek is ziek, of ze dat nu wil of niet,' vond Steven. 'Wat dat betreft, zijn we toch wel gezegend. Zelfs Sanne is bijna nooit ziek.'
Ze ruimden samen de koffiekopjes op.
'Wil je nog een glaasje wijn?' vroeg Steven.
'Nee, doe maar niet. Ik heb bij het eten al wat wijn op. Ik denk dat ik ook maar eens lekker bijtijds naar bed ga,' zei Hanneke. 'Ik ben best moe.' Ze gaapte.
'Vind je het erg als ik nog even beneden blijf? Er komt zo nog een mooie documentaire op *National Geographic* die ik graag wil zien, over de Galapagoseilanden,' zei Steven.
'Nee hoor,' zei Hanneke, 'maar dan zeg ik je nu alvast welterusten, want ik denk dat ik zo slaap.'
Ze boog zich naar hem over en kuste hem. 'Welterusten, schat. Geniet van je documentaire.'
Steven kuste haar terug. 'Welterusten, schat. Geniet jij maar lekker van je bedje.'
Eenmaal in bed lag Hanneke nog even terug te denken aan de avond. Het was gezellig geweest. Frank was inderdaad een aardige man, bedacht ze. Roel leek in veel dingen op zijn vader. Lobke en hij waren een fijn stel. Ze viel met een glimlach om haar mond in een droomloze slaap.

6

LOBKE BLEEF KLACHTEN HOUDEN OVER MOEHEID, EN ONDANKS haar protesten maakte Hanneke een afspraak voor haar bij de huisarts. 'Welke dag komt je het beste uit?' vroeg ze met de telefoon in haar hand.

'Nou, doe dan maar op maandagochtend vroeg. Dan ben ik de eerste twee uur vrij en hoef ik geen lessen te missen,' antwoordde Lobke met tegenzin.

'Moet ik nog mee, of ga je alleen?' vroeg Hanneke.

'Ja zeg, ik ben geen klein kind meer. Ik ga wel alleen,' zei Lobke verontwaardigd. 'Je zult zien dat het niks is. Het zal best wel door de drukte van het eindexamenjaar komen. Of een griepje. Er zijn er nog meer die griep hebben gehad op school.'

'Dat kan wel zo zijn, maar ik wil toch dat de huisarts er eens naar kijkt. Misschien heb je wel bloedarmoede of Pfeiffer. Daar kun je ook heel moe van worden en opgezette klieren van hebben,' zei Hanneke.

En dus ging Lobke op maandagochtend om halfnegen naar de huisarts. Ze keek nieuwsgierig om zich heen. Het was voor het eerst dat ze hier kwam. De wachtkamer was een kleine, lichte ruimte, met een kast met folders naast het raam, een rij stoelen langs de muur, een paar lage tafeltjes met wat tijdschriften erop, en zelfs een aparte kinderhoek met een klein felrood tafeltje, twee blauwe stoeltjes en een bak vol speelgoed ernaast.

In de wachtkamer zaten een moeder met een huilende baby op haar schoot en een oude man van een jaar of zeventig. De man zat wat onderuitgezakt, zijn handen gevouwen voor zijn buik, met zijn duimen te draaien.

Lobke lachte vriendelijk, zei: 'Goedemorgen' en ging toen zitten. De man vatte Lobkes groet op als een uitnodiging om een praatje met haar aan te knopen. 'Wat een lekker weertje, hè?' begon hij.

Lobke moest inwendig lachen. Het weer was altijd zo'n dankbaar onderwerp om een praatje mee te beginnen. Of was dat alleen in

Nederland zo? 'Nou, zeker voor de tijd van het jaar,' zei ze om maar eens een cliché te gebruiken.

Goed, dat onderwerp hadden ze gehad. De moeder wiegde de huilende baby heen en weer om hem stil te krijgen, wat echter weinig effect had. Ze keek wat verontschuldigend naar Lobke. De man keek zoekend om zich heen alsof hij zocht naar iets in zijn omgeving wat hem een volgend gespreksonderwerp op zou leveren.

Lobke kreeg medelijden met de man. 'Vervelend, hè, dat wachten.'

'Nou,' zuchtte de man hartgrondig. 'En ik heb het toch al niet zo op dokters. Maar ja, als het mot, dan mot het.'

Lobke vermoedde dat de man op het punt stond haar uit te leggen wat hem bij de huisarts deed belanden. Ze had echter weinig zin in allerlei medische ontboezemingen, en dus pakte ze een tijdschrift van het stapeltje en ging daarin zitten bladeren.

Op dat moment ging de spreekkamerdeur open, en kwam er een jongeman naar buiten, gevolgd door de huisarts, dokter Rensen.

'De volgende,' riep de arts.

De mevrouw met de huilende baby stond haastig op en liep naar de spreekkamer, waarna de huisarts de deur achter hen sloot.

'Jij ziet er helemaal niet ziek uit.' De man liet zich blijkbaar niet afschrikken door Lobkes afwerende houding.

Lobke haalde haar schouders maar eens op en bladerde verder.

De man boog zich wat naar Lobke over. 'Weet je waarvoor ik naar de dokter moet?' vroeg hij toen.

Lobke schudde haar hoofd en keek in het tijdschrift alsof daar iets in stond waarvoor ze zich hevig interesseerde. Hoe kwam ze nu met goed fatsoen van een gesprek af?

Niet dus. De man ging gewoon door en zei: 'Ik heb allemaal uitslag in mijn nek. Kijk maar,' en hij trok de kraag van zijn overhemd opzij.

Lobke durfde amper opzij te kijken. Dit wilde ze helemaal niet zien. Ze concentreerde zich op de plaatjes in het tijdschrift.

Maar de man ging verder: 'Mijn zoon zei al: 'Pa, je mot maar zo denken, je heb de uitslag al voordat je onderzocht ben.' Ja, mijn zoon is een grapjas, maar hij heb makkelijk praten...'

Tot grote opluchting van Lobke ging daarna de spreekkamerdeur weer open, en verscheen de mevrouw met de baby, die intussen opgehouden was met huilen.
'De volgende,' riep de dokter weer.
De man stond op. 'Nou, tot ziens maar weer, hè?'
Liever niet, dacht Lobke. Ik heb al in jaren geen huisarts nodig gehad en ik hoop dat het nu weer een heleboel jaren duurt voordat ik weer naar een dokter moet.
Even daarna ging de spreekkamerdeur weer open, vertrok de man met een knikje naar Lobke, en werd zij binnengeroepen.
Dokter Rensen stelde zich voor en liet haar toen voor zijn bureau plaatsnemen, terwijl hij er zelf achter ging zitten. Hij zocht in zijn computersysteem en keek haar toen aan. 'Lobke Schrijver? Heb ik jou weleens in mijn praktijk gehad?'
'Gelukkig niet, dokter,' lachte Lobke, 'maar eens moet de eerste keer zijn.'
'Wat zijn de klachten?' vroeg de arts.
Lobke legde uit waarvoor ze kwam, waarna de arts haar uitgebreid onderzocht in de onderzoekkamer naast de spreekkamer. Hij stelde wat vragen, nam weer plaats achter zijn bureau en schreef daarna een labformulier voor haar uit.
'Je klachten lijken het meeste op Pfeiffer, maar ik wil voor alle zekerheid een uitgebreid bloedonderzoek laten doen. Kan dat vandaag nog?'
Lobke knikte. 'Ik heb de eerste twee uur vrij. Daarom heb ik deze afspraak ook voor vanmorgen gemaakt. Ik kan meteen wel even door naar het lab. Kan ik daar al terecht?'
De arts knikte. 'Ik bel zo wel dat je eraan komt. Meestal kun je dan wel tussendoor geholpen worden.' Hij gaf haar het formulier en stond op. 'Je bloed wordt ook op kweek gezet. Dat duurt meestal een week. Als je me dus over een week belt, heb ik alle uitslagen wel binnen.' Hij liet haar uit en riep weer: 'De volgende.'
Lobke fietste meteen door naar het laboratorium, en vandaar reed ze nog even langs huis, waar Hanneke gespannen op haar zat te wachten. 'De dokter vermoedt inderdaad dat ik Pfeiffer heb. Ik

moest bloed laten prikken, en ik ben maar meteen langs het lab gegaan. Er moesten wel vijf buisjes afgenomen worden. Als ik nog geen bloedarmoede had, zou ik het daardoor wel krijgen.'
'Wanneer krijg je de uitslag?' vroeg Hanneke.
'Ik mag over een week bellen. Het moest ook nog op kweek of zoiets. Nou, doei. Ik ga naar school, naar de Terrrminatorrr.' Ze pakte haar rugtas, maakte een rollende beweging met haar ogen en zei met een grafstem: '*I'll be back.*'
Hanneke lachte. 'Tot vanmiddag. Wanneer je thuiskomt, ben ik er waarschijnlijk niet. Ik ga straks even naar tante Els. De nieuwe collectie komt vandaag binnen, en ze vroeg of ik vanmiddag tijd had om te helpen alles uit te pakken en op te hangen.'
'Als ik ga trouwen, koop ik mijn jurk ook bij tante Els. Die heeft zulke mooie dingen hangen,' zei Lobke.
'Als jij gaat trouwen, krijg je je jurk van ons,' beloofde Hanneke. 'Je vader verheugt zich er al jaren op jullie officieel 'weg te geven', zoals dat heet. Rare uitdrukking trouwens, alsof dochters een bezit zijn. Maar het heeft wel iets, zo'n vader die de hand van zijn dochter in de hand van haar aanstaande echtgenoot legt. Ook in deze tijd nog.'
'Van mij mag hij, als hij dat zo leuk vindt,' zei Lobke lachend. 'Nou ga ik echt weg. Doei.'

* * *

Diezelfde avond klaagde Lobke weer over moeheid. Ze at bijna niets. Zelfs het toetje liet ze staan.
'Da's niks voor jou, meisje, geen toetje,' zei Steven bezorgd.
'Goed voor mijn lijn,' grapte Lobke, maar de moeheid was van haar gezicht af te lezen.
'Met jouw lijn is niks mis. Je doet toch alsjeblieft niet mee met die modegril 'broodmager is mooi'?' vroeg Steven.
'Nee hoor, wees maar niet bang. Ik vind broodmager zelf helemaal niet mooi. En Roel houdt er ook niet van,' zei Lobke.
'Wil je nog wat drinken voordat je naar boven gaat?' vroeg Hanneke. 'Thee, of koffie?'

'Doe maar thee. En ik neem het wel mee naar boven, want ik heb weer een werkstukopdracht gekregen vandaag van de Terminator, en we hebben daar maar een week de tijd voor,' zei Lobke.
'Waarom noemen jullie die man toch zo?' vroeg Steven. 'Hij lijkt helemaal niet op Arnold Schwarzenegger. Integendeel, zou ik zeggen. Hij zal nog geen een meter zeventig zijn.'
'Nee, hij lijkt er uiterlijk niet op, maar het is wel alsof hij erop uit is ons allemaal te laten zakken. Hij maakt op zijn manier zelfs grapjes wanneer we een onvoldoende halen. Ook al vinden de meesten van ons Nederlands nog zo'n leuk vak, bij hem verdwijnt die lol als sneeuw voor de zon. Vandaar de Terminator. Die hielp ook alles en iedereen om zeep,' legde Lobke uit.
'Nou, succes dan maar met je werkstuk,' zei Steven lachend, en hij gaf zijn dochter een kushand mee naar boven.
'Ik maak me toch zorgen om Lobke,' zei Hanneke toen ze op de bank zaten met een kopje koffie. 'Ze blijft maar moe en ze ziet er slecht uit.'
'Wat zei de dokter?' vroeg Steven.
'Hij denkt aan Pfeiffer, en ze heeft vanmorgen meteen bloed moeten laten prikken,' zei Hanneke. 'Volgende week krijgt ze de uitslag.'
'Het zou wel jammer voor haar zijn als het Pfeiffer is, want dan kan ze dit schooljaar waarschijnlijk wel vergeten en kan ze straks geen examen doen,' bedacht Steven.
'Laten we eerst maar eens afwachten wat er uit de bloedonderzoeken komt,' vond Hanneke. 'Maar ik ben er niet erg gerust op.'

* * *

Twee dagen later ging 's avonds de deurbel.
Steven deed open.
Hanneke hoorde hem verbaasd zeggen: 'Dokter, u hier?'
Hanneke voelde meteen een vreemd, zwaar gevoel in haar buik, en haar hart begon sneller te kloppen. Ze stond op en liep naar de gang.
Steven hielp de huisarts uit zijn jas.

'Dokter?' Hanneke keek dokter Rensen met een angstige blik aan.
'Mag ik even binnenkomen?' vroeg hij. 'En is Lobke thuis?'
'Ja, ze is boven. Ik zal haar roepen,' zei Hanneke. Het zware gevoel verplaatste zich naar haar benen. Ze wankelde, en even was het alsof ze geen stap meer kon verzetten.
Steven nam de huisarts mee de kamer in.
Hanneke bleef even in de gang staan, ademde diep door en probeerde haar stem zo rustig mogelijk te laten klinken. Toen pakte ze de trapleuning vast en riep naar boven: 'Lobke, kom je even?'
'Yo, ik kom zo, ben bijna klaar,' riep Lobke van boven.
'Nee, kom nu maar even,' riep Hanneke met schorre stem. Ze merkte dat ze begon te beven. Haar hart klopte als een razende in haar keel. Ze hoorde Lobke haar bureaustoel naar achteren schuiven. Hanneke hield zich nog even vast aan de trapleuning. Ging die bibber nou maar uit haar benen.
Even later verscheen Lobke boven aan de trap. 'Wat is er dan?' vroeg ze verwonderd.
'Dokter Rensen is er, en dat zal wel over jouw bloed gaan,' zei Hanneke.
'O, fijn, dan weet ik tenminste lekker snel wat er aan de hand is en hoef ik niet te bellen.' Lobke kwam met een paar sprongen naar beneden.
Maar Hanneke vond het niet zo fijn. Ze begreep dat de dokter alleen maar zelf langskwam als er iets goed mis was. Met knikkende knieën liep ze achter Lobke aan naar de huiskamer.
Haar bange voorgevoel kwam uit. De arts wachtte totdat ze allemaal zaten en viel toen met de deur in huis. 'Ik heb slecht nieuws,' zei hij. 'De bloeduitslagen waren niet goed, Lobke.'
Lobke keek hem vragend aan. 'Heb ik Pfeiffer?' vroeg ze.
'Was het maar waar,' was het antwoord van dokter Rensen. 'Het vermoeden bestaat dat het ernstiger is. We hebben nog niet alle uitslagen binnen, en er zullen nog meer onderzoeken gedaan moeten worden, waaronder een beenmergpunctie.'
Bij Hanneke gingen allerlei alarmbellen rinkelen bij het woord 'beenmergpunctie'.
Ook Lobke leek het woord te kennen. 'Jeetje, beenmergpunctie?

Dat hoeft toch alleen maar te gebeuren wanneer je kanker hebt of zo?'
Het woord lag daarmee als een tikkende bom op tafel. Het was even stil, alsof iedereen wachtte op het moment waarop de bom zou afgaan.
'Zoals ik al zei, we hebben nog niet alle uitslagen binnen, maar je bloeduitslagen zijn van dien aard dat we vermoeden dat er sprake zou kunnen zijn van een vorm van leukemie,' zei de arts. 'Ik wil daarom dat je zo snel mogelijk naar het ziekenhuis gaat voor vervolgonderzoeken. Dan weten we het definitief.'
'Naar het ziekenhuis? Maar dat kan helemaal niet. Ik heb morgen een toets voor bio. Kan het niet dat er uitslagen verwisseld zijn?' vroeg ze toen. 'Dat hoor je toch weleens?' Ze keek de huisarts hoopvol aan.
Die schudde echter zijn hoofd. 'Nee, Lobke, helaas niet. En als het inderdaad een vorm van leukemie is, zullen we er zo snel mogelijk bij moeten zijn om de kans op genezing te vergroten.'
Lobke begon te stotteren. 'M... maar... ga ik dood?'
'Natuurlijk niet.' Hanneke schrok van haar eigen felheid.
Ook Steven zat ongelovig met zijn hoofd te schudden.
'Laten we nu eerst de vervolgonderzoeken maar afwachten,' zei dokter Rensen. 'Ik heb geregeld dat je morgenochtend om halfnegen in het AMC terechtkunt. Daar zullen ze je nader onderzoeken. En dan zien we daarna wel verder.'
Er viel een grote stilte. Iedereen leek het afschuwelijke nieuws op zijn of haar eigen manier te verwerken.
Toen stond Lobke als eerste op. 'Ik ga Roel bellen. Die moet het ook weten,' zei ze toen. 'Dan kan hij morgen uitleggen waarom ik niet op school ben.'
Steven bewonderde zijn dochter erom dat die na een bericht als dit nog het benul had om zich af te melden op school.
Hanneke zat nog steeds als verdoofd naast Steven op de bank. De angst leek haar keel te verstikken. Ze reikte opzij naar Stevens hand.
'En nu?' vroeg Steven.
'Tja,' zei de arts, 'het is nu even afwachten wat er uit de nadere

onderzoeken komt. Maar het ziet er niet goed uit. Het spijt me,' besloot hij zacht.
'Daar kunt u toch niets aan doen? Dat is gewoon domme pech,' zei Steven hard. Hij vloekte binnensmonds. 'Verdorie, die meid leeft hartstikke gezond, rookt niet, sport regelmatig... Waarom zij?'
'We weten er nog te weinig van om daar een antwoord op te kunnen geven,' zei de arts. 'Het is net wat u zegt: domme pech.'
Hanneke zei nog steeds niets. Het zware gevoel in haar buik had plaatsgemaakt voor een ijzeren klauw die zich om haar maag kneep. Harder, steeds harder. Ze kreunde zacht.
Steven keek opzij. 'Han?'
Hanneke schudde haar hoofd. Ze kon nog steeds geen woord uitbrengen. De klauw ging door met knijpen. Ze boog haar hoofd en kromde haar lijf, alsof ze zich helemaal wilde oprollen. De greep van de klauw verslapte niet. Ze begon weer te beven.
Dokter Rensen keek haar scherp aan. 'Mevrouw Schrijver,' zei hij toen, 'dit moet een verschrikkelijke boodschap zijn, niet alleen voor Lobke zelf, maar ook voor u als ouders. Het is nu belangrijk dat er zo snel mogelijk onderzocht wordt wat er precies aan de hand is met Lobke, zodat daarna gericht met een behandeling begonnen kan worden. Lobke heeft u nu meer nodig dan ooit.'
Hanneke keek de arts aan. De greep van de klauw verslapte nog steeds niet. 'Wat kan ik doen?' vroeg ze toen.
'Praat met elkaar. Als het inderdaad leukemie is, zal jullie gezin met Lobke in een stroomversnelling terechtkomen. Vertel elkaar wat dat met je doet. Jullie zullen als ouders geregeld het idee hebben dat je machteloos bent en dat je het helemaal moet overlaten aan de specialist. Maar jullie kunnen zelf ook iets doen. Jullie zijn de stevige basis van waaruit Lobke dit zal aankunnen. Zijn jullie gelovig?'
Hanneke knikte. De klauw leek enigszins te verslappen. 'We gaan niet zo vaak naar de kerk, maar we hebben wel vertrouwen in God. We weten dat Hij ons leidt, ook hierin.'
Maar Steven schudde zijn hoofd. 'God moet toch weten dat we al genoeg op ons bordje hebben met de handicap van Sanne. Als dit

erge met Lobke nu bewaarheid wordt, heb ik nog grotere twijfels dan voorheen over zijn bestaan en of Hij alles wel leidt.'

Hanneke keek Steven aan. De klauw verstevigde zijn greep weer. 'Steven, hoe kun je dat nu zeggen?'

Maar Steven zweeg en keek stuurs voor zich uit.

De arts stond op. 'Ik ga weer. Het spijt me nogmaals dat ik met zo'n akelig bericht moest komen. Ik zal geregeld even langskomen als u dat op prijs stelt.'

'Graag, dokter.' Hanneke stond op. 'Zal ik u even uitlaten?'

Toen de huisarts de deur uit ging, kwam Roel net aanfietsen. Hij gooide zijn fiets tegen de schuurdeur en vroeg buiten adem: 'Waar is Lobke? Hoe is het met haar?'

'Lobke is boven,' zei Hanneke, waarna Roel de trap op rende.

Hanneke ging weer naar binnen.

Steven liep in de kamer rusteloos heen en weer.

Hanneke had behoefte aan zijn arm om haar heen, zijn stem in haar oor, zijn warme nabijheid, maar ze begreep dat hij nu even genoeg had aan zichzelf. De klauw zat nog steeds om haar maag geklemd.

'Ik ga Aafke even bellen, vragen of ze naar hier komt,' zei ze toen tegen Steven.

Die gaf geen antwoord, knikte alleen maar.

Tegen de tijd dat Aafke gearriveerd was, had Steven zich weer enigszins hersteld.

Hanneke bracht aan Aafke verslag uit. 'Dokter Rensen heeft gezegd dat we moeten praten met elkaar over wat het ons doet. Maar ik vind dat wel moeilijk nu we nog niet eens zeker weten of Lobke... wat er met Lobke aan de hand is.' Ze durfde het woord 'kanker' niet uit te spreken, bang dat het daarmee definitief werd.

Even later kwamen Lobke en Roel naar beneden.

Lobke had een betraand gezicht, maar ze keek helder uit haar ogen. 'Roel en ik hebben besloten dat we ervoor gaan,' zei ze.

Roel knikte.

'Roel gaat op internet alles opzoeken wat er maar te lezen is over leukemie, en wat ik zelf kan doen om zo snel mogelijk beter te worden. Want beter worden zal ik,' voegde ze er fel aan toe.

Aafke stond op en liep op Lobke af. Ze gaf Lobke een stevige klap op haar schouder. '*That's the spirit.* Ik ben er trots op dat jij mijn zus bent, Lobbepop.' Ze gebruikte onbewust het koosnaampje van vroeger.
Lobke keek haar ouders aan. 'Mam? Pap?' zei ze toen zacht.
Hanneke en Steven stonden als één man op en liepen ook naar Lobke.
Zo stonden ze een poosje bij elkaar, de armen om elkaar heen. Niemand zei iets. Maar dat hoefde ook niet.

7

ZOALS DE HUISARTS AL HAD VOORSPELD, KWAM ALLES IN EEN stroomversnelling, of, zoals Lobke het zelf noemde, de 'roetsjbaan'. Lobke moest na de onderzoeken in het AMC opgenomen worden voor verdere onderzoeken, en 's maandags bracht Hanneke haar vanuit het AMC over naar het Antoni van Leeuwenhoekziekenhuis, waar ze gespecialiseerd waren op het gebied van kanker. Daar gingen de onderzoeken verder, en onderging Lobke onder meer een pijnlijke beenmergpunctie. Op vrijdag, ruim een week na het bezoek van de huisarts, zaten Lobke, Steven en Hanneke in de spreekkamer van dokter Evers, specialist in bloedziekten, in afwachting van de definitieve uitslag.

De arts was wel erg jong, vond Steven, maar hij straalde een rust uit die prettig overkwam. 'Uit de diverse onderzoeken is naar voren gekomen dat er inderdaad sprake is van acute lymfatische leukemie. Dat is een soort bloedkanker,' legde de arts uit. 'Lobkes beenmerg produceert verkeerde bloedcellen. Die verkeerde cellen reageren ook niet op signalen om de aanmaak te remmen wanneer er voldoende cellen zijn geproduceerd. Er komen dan niet alleen afwijkende, maar ook te veel cellen, eerst alleen in het beenmerg, maar wanneer dat vol zit, ook in de bloedbaan. Die verkeerde cellen hebben geen enkele functie, maar blijven zich wel doordelen. Daardoor komt de productie van normale bloedcellen in het gedrang.'

'Kunnen jullie die verkeerde cellen er dan niet uit halen?' vroeg Lobke.

'Nee, dat heeft geen zin. Die bloedcellen zitten niet alleen meer in je beenmerg. We noemen dat een niet-solide kanker, wat betekent dat de cellen zich op verschillende plaatsen in je lichaam bevinden, zoals in je bloed. Bij een solide kanker is er sprake van een tumor die in één orgaan begint, bijvoorbeeld in je longen.'

'Hoe krijgen jullie die verkeerde cellen dan weg?' vroeg Lobke.

'We gaan zo snel mogelijk beginnen met chemokuren,' zei dokter Evers.

'Chemo?' vroeg Lobke, en ze trok even een lelijk gezicht. 'Dat is toch dat spul waar je kaal van wordt?' Ze streek even met haar hand over haar lange, donkerblonde haar.

'Ja, meestal wel,' zei dokter Evers, 'al reageert iedereen anders op de kuren. Maar na de kuren groeit dat gewoon weer aan. De voorlopige planning is dat je drie keer een kuur van twee weken krijgt, afwisselend infusen en pillen met cytostatica, met daartussen telkens twee weken rust, al zul je tijdens die rustperioden ook pillen moeten blijven slikken. Voor de eerste kuur moet je opgenomen worden. Dan kunnen we goed in de gaten houden hoe je erop reageert. Voor de kuren daarna bekijken we of dat poliklinisch kan. Zo'n infuuskuur duurt meestal maar een kleine drie kwartier. Je krijgt daarnaast nog andere medicijnen, zoals antibiotica en ontstekingsremmers. En als dat allemaal goed verloopt, volgt er een vierde kuur. Die is het zwaarst.'

'Je hoort vaak dat mensen erg ziek worden van chemokuren,' zei Hanneke. 'Is daar iets tegen te doen?'

'Ook dat is heel verschillend,' zei dokter Evers, 'maar misselijkheid en moeheid komen bij iedereen wel voor. Je krijgt tijdens de kuren dan ook standaard pillen tegen misselijkheid. Wat wel belangrijk is om vooraf te weten, is dat de chemokuren niet alleen de kankercellen aantasten. Ook gezonde cellen kunnen beschadigd raken, zoals eicellen. Omdat eicellen zich niet vermenigvuldigen, zoals huidcellen en haarcellen wel doen, kan daardoor blijvende onvruchtbaarheid ontstaan. Zo'n tachtig procent van de vrouwen die een chemokuur ondergaan, komt vervroegd in de overgang of wordt onvruchtbaar. Er zijn gevallen bekend waarin een vrouw alsnog zwanger werd na een chemokuur, maar dat is niet te voorspellen. In België hebben artsen onlangs een deel van de eierstok verwijderd bij een vrouw die een chemokuur moest ondergaan, waarna ze dat weefsel hebben ingevroren. Nadat de vrouw weer genezen was verklaard, is dat weefsel teruggeplaatst, en bijna een jaar daarna werd ze zwanger. Dat kunnen wij hier nog niet. Daarvoor is het nog te experimenteel. Maar het zag er wel veelbelovend uit. Ik zal jullie een aantal folders meegeven waarin staat wat je kunt verwachten. Ook kun je een Dagboekagenda meekrijgen. Dat is een prachtig initiatief van de Vereniging van Ouders voor Kinderen met Kanker. Wat jij zelf kunt doen, Lobke, is rustig aan doen, gezond en regelmatig eten, ook al zul je af en toe geen trek hebben, veel drinken, zodat de giftige stoffen zo snel mogelijk je lichaam weer uit zijn, en je medicijnen stipt op tijd innemen.'

'En word ik dan weer beter?' vroeg Lobke.

'Omdat we er zo vroeg bij zijn, en je nog zo jong bent, is er een reële kans op genezing,' zei dokter Evers. 'Maar helaas mogen wij die garantie niet geven, omdat iedere patiënt anders reageert. Hebben jullie nog vragen?'

Steven en Hanneke keken elkaar aan. Nee, dit was voorlopig wel genoeg informatie. Ook Lobke schudde haar hoofd.

'Dan heb ik ook een vraag voor jullie. Lobke, heb je broers of zussen?'

Lobke keek dokter Evers verwonderd aan. 'Ja, ik heb twee zussen. Ik ben de jongste,' zei ze. 'Hoezo?'

'Wel, na de chemokuren zijn niet alleen de verkeerde cellen vernietigd, maar zijn ook je eigen goede cellen aangetast. Om die te helpen zo snel mogelijk te herstellen willen we je na die vierde, zware kuur gezonde stamcellen toedienen. Die zorgen niet alleen voor de aanmaak van nieuwe gezonde cellen, maar helpen ook mee de laatste zieke cellen op te ruimen. Daarvoor zijn stamcellen van een eigen broer of zus het meest geschikt. Vroeger was dat een pijnlijke geschiedenis, en moesten die cellen via een beenmergpunctie bij de donor verwijderd worden. Maar tegenwoordig kan dat op een stuk minder pijnlijke manier. De donor krijgt dan vijf dagen achtereen injecties die de groei van stamcellen bevorderen. Die stamcellen worden daarna via een soort dialyseapparaat uit het bloed gehaald. Dat duurt een uur of vier, en soms doen we dat de dag erna nog eens. Alleen in uitzonderlijke gevallen doen we het nog via een beenmergpunctie. Dat gaat dan onder narcose.'

'Kunnen wij geen stamcellen leveren?' vroeg Steven.

'Nee, dat kan niet,' zei dokter Evers. 'We hebben stamcellen nodig die het meest lijken op die van Lobke, en aangezien die nooit meer dan voor de helft op cellen van u beiden kunnen lijken, hebben we cellen van een van haar zussen nodig. Zelfs als Lobke een halfbroer of halfzus zou hebben, zou die daarvoor niet in aanmerking komen. Bovendien geven transplantaties van stamcellen van jonge donoren betere resultaten. Bloedonderzoek kan nagaan welke zus daarvoor het meest geschikt is.'

Hanneke trok een bedenkelijk gezicht. Toen zei ze: 'Onze middelste dochter is ernstig verstandelijk gehandicapt. Dus alleen onze oudste dochter blijft over.'

'Laten we dan hopen dat haar celtype lijkt op dat van Lobke,' zei dokter Evers. 'We zullen straks meteen een afspraak maken om – hoe heet uw andere dochter? – om Aafke uit te leggen hoe alles in z'n werk gaat, en dan kan er ook bij haar bloed geprikt worden. Dat lijkt misschien vroeg, aangezien zo'n transplantatie voorlopig nog niet aan de orde is, maar we beginnen zo'n traject altijd zo vroeg mogelijk. Dat geeft ons de tijd om te zoeken naar een andere donor als die binnen de directe familie niet voorhanden zou zijn. Het duurt één tot twee weken voordat we weten of zij een geschikte donor is.'

'Oké. We zullen het haar vertellen,' zei Steven. 'Als jullie het niet erg vinden, gaan we nu, Hanneke. Dan kan ik je nog thuisbrengen voordat ik naar mijn werk ga. Ik heb over een halfuurtje een belangrijke vergadering.'

'Nee hoor, we zijn, wat mij betreft, klaar. Je mag dit weekend nog mee naar huis, Lobke. We verwachten je aanstaande maandag hier op afdeling E, voor je eerste kuur,' zei dokter Evers.

Ze liepen met z'n drieën naar de afdeling om Lobkes spullen te halen en van daar naar de uitgang.

'Hè, fijn, effe naar huis en effe naar buiten,' zei Lobke, en ze stak haar arm in die van Hanneke.

Steven stelde voor alvast de auto te halen terwijl zij bij de uitgang wachtten.

Hanneke verbaasde zich over de enorme hoeveelheid mensen die ze in de grote hal van het ziekenhuis zag. Sommige patiënten liepen in hun kamerjas met een infuus op een standaard naast zich. Andere zaten met hun bezoek in het restaurant. Ze had nooit ge-

weten dat er zo veel mensen met kanker waren. Toch hing er geen drukkende sfeer in het ziekenhuis, integendeel.
Lobke leek diep in gedachten.
'Zie je ertegen op?' vroeg Hanneke. 'Kind, ik zou willen dat ik het van je kon overnemen.'
'Ik zie er nog het meest tegen op dat ik niet weet wat me te wachten staat,' zei Lobke. 'En wat dokter Evers zei over een mogelijke onvruchtbaarheid, daar moet ik nog eens over nadenken. Dat kan ik nu nog niet overzien. Maar ik liep vooral te denken: stel dat Aafkes bloed niet geschikt is als donor, wat dan? Sanne is toch ook een zus van me?'
Hanneke schrok. Met die mogelijkheid had ze nog geen rekening gehouden. 'Laten we eerst maar afwachten wat er uit dat onderzoek komt,' zei ze. 'Wanneer we die uitslag hebben, zien we wel verder.'
Ze zag Sanne voor zich, met haar angst voor bloed en pijn. Heer, geef dat Aafke een geschikte donor is, bad ze in stilte.

* * *

's Middags gingen Hanneke en Lobke samen wat schone was bij Sanne brengen, omdat Sanne dit weekend niet thuis zou komen. Terwijl Lobke even langsging bij Sanne, die naar creatieve therapie was, had Hanneke een gesprek met Tim, de nieuwe pb'er van Sanne. Hij was aangenomen op de vacature die ontstaan was door het vertrek van Arjen. Hij werkte nu drie maanden op De Roos en leek zijn plaatsje in het team gevonden te hebben.
Hanneke vond hem een geschikte vent. Ze had destijds bij de sollicitatiegesprekken gezeten, en beide commissies waren het erover eens geweest dat Tim de meest geschikte kandidaat was. Het was geen Arjen, maar ze wist dat het niet eerlijk was hem met zijn voorganger te vergelijken.
'Hoe is het gegaan vanmorgen?' vroeg ze. Sanne had die ochtend naar de tandarts gemoeten voor de halfjaarlijkse controle.
'Nou, dat was weer een hele toestand. Alleen al haar mee naar binnen te krijgen bij de tandarts,' zei Tim. 'Ik begreep dat dat

Arjen altijd goed lukte, maar ik moest toch even zoeken hoe ik haar daar rustig kon krijgen.'

'Ja, Sanne is altijd panisch wanneer ze naar de tandarts moet,' wist Hanneke.

Tim knikte, maar hij straalde toen hij zei: 'Maar het is me gelukt. Sanne bleek een gaatje te hebben, en dat moest gevuld worden. De tandarts heeft haar een roesje gegeven, en toen was het zo gepiept. En weet je, ik vond dat zo ontroerend, Sanne gaf me daarna een knuffel, alsof ze me wilde bedanken.'

Hanneke kreeg tranen in haar ogen. Sanne was erg selectief met wie ze een knuffel gaf. Dit was een goed teken.

'Hoe is het trouwens met jou? Je ziet er moe uit,' zei Tim.

Hanneke zuchtte. 'We hebben slecht nieuws,' zei ze toen. 'Lobke heeft leukemie.'

Tim schrok zichtbaar. 'Leukemie? Verdorie. En nu?'

'Aanstaande maandag begint ze met de eerste chemokuur,' zei Hanneke. 'En dan is het afwachten of die aanslaat.'

'En hoe is ze er zelf onder?' vroeg Tim. 'Ik heb daarnet niets aan haar gemerkt. Of ja, nu je het zegt, ze zag wel erg wit.'

'Ik denk dat alles nog een beetje moet doordringen,' zei Hanneke. 'Bij ons allemaal trouwens. We weten het officieel nog maar sinds vanmorgen, al bestond het vermoeden al sinds vorige week woensdag. De afgelopen week is vooral gevuld geweest met onderzoeken. Lobke noemde het een 'roetsjbaan', en zo voelt het ook bij mij. Alsof je van de ene bocht naar de andere glijdt, en van de ene emotie naar de andere. Ik voel me heen en weer geslingerd tussen hoop en vrees, en ik merk dat dat energie vreet.'

'Je zou toch zeggen dat jullie al genoeg op je bordje hebben met Sanne,' zei Tim. 'Het is oneerlijk verdeeld in de wereld.'

'Ja, zo reageerde Steven ook.' Hanneke keek verdrietig. 'Hij sluit zich erg af. Ik dring nauwelijks tot hem door, heb ik het gevoel. Maar ik moet hem de tijd gunnen om dit op zijn eigen manier te verwerken. Mannen doen dat toch anders dan vrouwen...'

Tim moest onwillekeurig toch lachen. 'Tja, wij, mannen, zitten nu eenmaal anders in elkaar dan jullie, vrouwen. Ik ben weleens jaloers, weet je dat? Vrouwen lijken soms zo veel wijzer. Jullie durven veel beter je emotie te laten zien, terwijl mannen vaak denken dat ze sterk moeten zijn, hoewel dat tegenwoordig toch lijkt te veranderen. Het wordt nu zelfs stoer gevonden als je als man durft te huilen.'

'Nou, hij hoeft van mij niet per se te huilen,' antwoordde Hanneke. 'Al praatte hij maar met me. Maar zelfs dat doet hij niet.'

'Wie doet wat niet?' Lobke kwam binnen. 'Hoi, Tim.'

'Hoi, Lobke. Ik hoorde het net van je moeder. Balen, joh,' zei Tim.

'Ja, balen,' was Lobkes antwoord. 'Maar niks aan te doen.'

'Hoe voel je je?' vroeg Tim.

'Tja, hoe voel ik me? Leeg. En vol. En verward. En bang, ja ook wel bang. Voor wat me te wachten staat. Wat dat betreft, vind ik het zo maf. Ik ben wel moe en zo, maar ik voel me niet doodziek. Ik bedoel, ik zou toch moeten voelen dat er iets in mijn lijf zit waaraan ik dood kan gaan?'

'Nou ja,' zei Tim, 'dat is toch eigenlijk wel een goed teken? Ik bedoel, dat je je nog niet erg ziek voelt. Ik zou dan denken dat het nog in het beginstadium is. En dan is de prognose vaak beter.'

'Aanstaande maandag ga ik beginnen met chemokuren. Ik ben ook heel benieuwd hoe ik dat ga ervaren. We hebben folders meegekregen, en als ik daarin lees wat ik daar allemaal voor bijwerkingen van kan krijgen, word ik daar niet vrolijk van...'

'Het lijkt me ook geen pretje,' zei Tim.

'Maar weet je wat me steeds overeind houdt?' zei Lobke toen. 'De gedachte aan Sanne.'

'Aan Sanne?' vroeg Hanneke verwonderd.

Ook Tim keek verbaasd.

'Ja, aan Sanne. Die heeft er ook niet voor gekozen epilepsie te krijgen. Dat overkwam haar, net zoals die leukemie mij overkomt. En als zij in een periode zit waarin ze veel aanvallen heeft, kun je ook aan haar zien dat ze zich daar ziek door voelt. En ook zij moet veel medicijnen slikken. En toch blijft ze op haar manier genieten van het leven. Ja, aan Sanne dus, mijn zus op wie ik zo trots ben. En net als Sanne ga ik ervoor.'

Hanneke slikte even. Die Lobke. De klauw die zich al die dagen nog steeds om haar maag bevond, leek zijn greep te verslappen.

Ze merkte het en dacht: de kracht van Lobke is blijkbaar sterker dan de greep van de angst.
Ze rechtte haar schouders. 'Kom, Lobke, we gaan naar huis, naar pappa.'

* * *

Het was nacht. Hanneke lag al uren wakker. Steven lag licht snurkend naast haar. Ze had zich er vaak over verbaasd dat hij altijd goed sliep, wat er ook aan de hand was. Destijds, toen duidelijk werd dat Sanne een zorgenkindje was en dat ze dat alleen nog maar meer zou worden, had Hanneke ook nachten wakker gelegen. Maar toen had ze het gevoel gehad dat die zorgen hen samenbonden. Nu had ze het idee dat het akelige lot van Lobke een wig tussen hen dreef.
Sinds Stevens uitbarsting tegenover de huisarts op de avond dat die met het slechte nieuws kwam, leek hij zich af te sluiten voor haar en – wat ze nog erger vond – voor Lobke. O ja, hij was vanmorgen wel meegegaan naar dokter Evers, maar verder praatte hij niet over Lobkes ziekte. Hij kwam later thuis van zijn werk dan anders, dook na het eten meteen in de krant of voor de televisie en wachtte met naar bed gaan totdat zij er allang in lag. Dat duurde nu al ruim een week.
Hanneke werd er gek van. Vooral 's morgens vroeg miste ze hem enorm. Ze sliep slecht en viel soms na een rommelige nacht pas tegen de ochtend in slaap. En wanneer ze dan wakker werd, leek het soms allemaal zo onwerkelijk. Dan dacht ze eerst dat het allemaal een nare droom geweest was. Maar daarna viel de rauwe werkelijkheid des te heviger over haar heen.
Lobke was veel samen met Roel. Die twee hadden steun aan elkaar.
Maar Hanneke voelde zich steeds eenzamer door Stevens afwijzende houding. Juist nu had ze behoefte aan zijn steun, aan zijn stem, aan zijn aanwezigheid. Juist nu, nu alles wat diep weggestopt zat, zijn stem weer liet horen, steeds harder en dringender. Wat is er toch mis met mij? vroeg ze zich af. De pijn die ze

destijds ervaren had, toen duidelijk werd dat de vorm van epilepsie die Sanne had, een gevolg zou kunnen zijn van bepaalde afwijkingen in de chromosomen, stak zijn kop weer op.
Steven had destijds moeten praten als Brugman om haar schuldgevoel dat het aan haar lag dat Sanne zo was, weg te krijgen. Maar blijkbaar was het niet verdwenen, en had het liggen sluimeren tot nu.
Roel had zitten zoeken op internet om zo veel mogelijk informatie over leukemie te pakken te krijgen. Daarbij had hij onder meer gezocht naar de oorzaken van leukemie, en daar had ook bij gestaan dat 'afwijkingen in het erfelijk materiaal' een oorzaak konden zijn.
Had zij die afwijkingen meegegeven tijdens haar zwangerschap? Ze piekerde zich suf wat er destijds kon zijn misgegaan. Ze had niet gerookt, noch alcohol gedronken. Ze had gezond gegeten, was niet in aanraking geweest met giftige stoffen voor zover ze wist... Was ze dan niet in staat gezonde kinderen te krijgen? Ja, Aafke was gezond, maar wie weet wat daar onderhuids sluimerde. Dat zag je maar aan Lobke. Die leek ook kerngezond.
Ze drukte op het lichtknopje van haar wekker om te zien hoe laat het was. Nog maar halftwee. Zou ze een poosje gaan liggen lezen? Soms hielp dat. Maar ze wist dat ze haar aandacht toch niet bij het boek kon houden. Bovendien wilde ze Steven niet wakker maken.
Ze besloot naar beneden te gaan. Voorzichtig stapte ze uit bed, trok haar duster aan en sloop naar beneden. Ze zette de waterkoker aan en maakte een glas rooibosthee. Het bezig zijn in de keuken gaf haar wat rust. Ze liep met het volle theeglas naar de woonkamer, stak de schemerlamp aan, zette de televisie zacht aan en zapte wat heen en weer tussen de diverse kanalen om te zien of er iets bij zat wat haar aandacht kon vangen. Maar het meeste wat voorbijkwam, waren mooie jongedames met zwoele stemmen die kijkers trachtten te verleiden tot telefoontjes. Jongedames van de leeftijd van haar dochters. Zouden die nou ook leukemie kunnen krijgen?
Ze zette de televisie uit en zocht een andere bezigheid. Ze ruimde de vaatwasser leeg, haalde een doek over het aanrecht, pakte de

krant, legde die weer weg, strooide wat voer in de goudvissenkom, zette de televisie weer aan, zocht op teletekst of er nog nieuws was. Niets wat haar interesseerde.
Ze maakte nog maar eens een glas thee. Toen zag ze het vest van Lobke over een keukenstoel hangen. Ze pakte het en ging op de bank liggen, met het vest als een kussentje tegen haar gezicht. De vertrouwde geur van de deodorant van Lobke zorgde ervoor dat eindelijk de tranen kwamen, en daarna de slaap.

* * *

Zo vond Steven haar 's morgens om halfzes. Hij was wezen plassen en had toen gezien dat Hanneke niet naast hem lag. Hij was naar beneden gelopen en zag haar liggen op de bank, diep in slaap. Hij staarde naar zijn vrouw. Haar behuilde gezicht, nu ontspannen door de slaap, deed hem meer dan hij aankon. Hij wilde zich omdraaien en weer naar boven gaan, weg van de weekheid die hij al die dagen uit de weg ging.
Maar op dat moment werd Hanneke wakker. Ze keek verbaasd om zich heen waar ze was en zag toen Steven staan. Ze rilde en trok haar duster wat strakker om zich heen.
Steven wist zich even geen houding te geven. Hij voelde dat hij als eerste iets zou moeten zeggen, maar hij had geen idee wat. Hij zag het theeglas staan en zei toen maar: 'Wil je een vers kopje thee?'
Hanneke schudde haar hoofd. 'Nee, dank je.'
Toen was het weer stil.
'Zal ik een deken voor je pakken?'
Hanneke ging overeind zitten. 'Nee, laat maar. Ik ben nu toch wakker. Ik ga douchen.' Ze stond op en wilde naar boven gaan. Toen zag ze het vest van Lobke dat op de grond gevallen was. Ze pakte het op en ging weer zitten. En weer kwamen de tranen. Geluidloos.
Toen brak er iets bij Steven. Hij zakte naast Hanneke neer op de bank, trok zijn knieën op en sloeg zijn armen eromheen, alsof hij zich zo klein mogelijk wilde maken.
Zo zaten ze samen op de bank, nog geen twintig centimeter van

elkaar vandaan, maar het voelde alsof er een diepe kloof tussen hen beiden was, die het hun onmogelijk maakte elkaar aan te raken.

* * *

Hanneke rilde. Ze stond op en zei: 'Ik krijg het koud. Ik ga douchen.'
Steven bleef in elkaar gedoken zitten. Hij zei niets.
Hanneke keek naar hem. Tegenstrijdige gevoelens vochten om voorrang. Boosheid, omdat hij haar in de steek had gelaten de afgelopen dagen. Verdriet over de kloof die hen scheidde. Medelijden. Liefde. Eenzaamheid. Smart.
Ze had 'smart' altijd zo'n zwaar, ouderwets woord gevonden, maar nu paste het woord bij dat verscheurde gevoel dat bezit van haar genomen had. Gedeelde smart is halve smart, schoot het door haar heen. Ze ging weer zitten. 'Steven?' zei ze toen zacht.
Steven leek haar niet te horen. Hij bleef in elkaar gedoken zitten.
Hanneke legde haar hand op zijn schouder. 'Steven?' zei ze weer, nu iets harder.
Toen keek hij haar aan. Ze schrok van de lege uitdrukking in zijn ogen. Hij leek onbereikbaar.
'Steven...' Een klagelijke zucht ontsnapte haar. Ze schoof naar hem toe, stak haar arm door de zijne, trok ook haar knieën op en drukte zich tegen hem aan.
Zo zaten ze een poosje naast elkaar. Twee mensenkinderen die, opgerold als egeltjes, het gevaar van de buitenwereld probeerden te trotseren.

* * *

Steven voerde zijn eigen innerlijke strijd. Hij vocht inwendig tegen de leegte van de afgelopen dagen die hem de baas dreigde te worden. De leegte die eerst draaglijker had geleken dan de toenemende boosheid. Die boosheid had hij nergens kwijt gekund. Want op wie moest hij boos zijn? Op Lobke, omdat ze door ziek te worden heel zijn rustige bestaan overhoopgegooid had? Op dokter Evers, die het vernietigende oordeel geveld had? Op Hanneke, omdat ze een beroep deed op zijn steun, terwijl hij zelf wankelde? Op God, die hun dit aandeed, terwijl ze toch ook hun problemen met Sanne al hadden? Nee, boos worden, die boosheid voelen, had geen enkele zin. Dan maar die leegte. Dan voelde hij tenminste niets.

Maar de leegte bleek een dreigender monster dan de boosheid. De leegte maakte hem hard, maakte dat alles wat hij deed, zinloos leek. Hij deed zijn werk op de automatische piloot, maar hij had er geen plezier meer in. Eten en drinken deed hij omdat zijn lijf daarom vroeg, maar hij proefde niet wat hij at of dronk. Hanneke en Lobke ontweek hij, want die waren de vijand voor de leegte.

En nu zat hij hier, naast Hanneke. Hij voelde de druk van haar lichaam tegen het zijne. Hij voelde haar warmte, en dat wilde hij niet, want die maakte het centrum van zijn leegte, de ijslaag om zijn hart, week. Hij wilde haar van zich af schudden, wegrennen, weg, weg van hier. Maar hij bleef zitten.

Steven voelde dat de leegte terrein begon te verliezen. Hij liet het gebeuren, miste de energie om weerstand te bieden. Hij zuchtte diep en voelde zijn krampachtige spieren verslappen.

Hanneke voelde het ook. Ze pakte zijn arm, schoof die over haar heen en dook met haar schouder in het vertrouwde holletje van zijn oksel.

Steven liet het toe. Zijn arm lag zwaar op haar rug.

Hanneke legde haar hoofd op Stevens borst. Ze hoorde het regelmatige kloppen van zijn hart, als een troostrijk ritme: het leven gaat door. 'Steven?' vroeg ze weer.

'Ja?' zei hij schor.

'Ben je er weer?'

Het was even stil.

'Ik geloof het wel,' was toen het antwoord.

'Gelukkig.' Het woord kwam als een zucht.

En toen kwamen ook bij Steven de tranen.

8

'HA, BUURVROUW, HOE IS HET MET LOBKE?'
Hanneke was buiten de ramen aan het zemen. Ze had vanmorgen Lobke naar het ziekenhuis gebracht voor de eerste chemokuur.
Lobke zou daar twee weken moeten blijven. Iedere dag werden er via een infuusnaald in haar arm verschillende cytostatica, zoals dokter Evers die noemde, bij haar ingespoten. Daarnaast moest ze een heleboel medicijnen slikken, wel twintig op een dag. Ze had in het weekend samen met Roel een hoop muziek op haar mp3-speler gezet. 'Dan heb ik iets te doen, mam. Ik zal misschien wel te weinig puf hebben om te lezen.'
Dokter Evers had haar gewaarschuwd dat de kuren veel van haar energie zouden vergen. Met de school was besproken dat Lobke wel contact zou houden met de klas, maar dat het niet realistisch was in dit examenjaar te verwachten dat ze na de kuren – vooropgesteld dat ze beter werd – de draad weer kon oppakken en gewoon kon meedoen met de examens.
Hanneke had het moeilijk gevonden haar dochter achter te laten in het ziekenhuis. Maar Lobke had haar min of meer weggeduwd. 'Ga nu maar. Ik red me wel. Er wordt hier goed voor me gezorgd.'
Eenmaal thuis was Hanneke maar gaan poetsen, om haar innerlijke onrust een positieve draai te geven. Dat had ze geleerd van haar moeder. Wanneer die boos of bezorgd was, was ze kasten gaan leeghalen en uitsoppen, een gewoonte die Hanneke van haar had overgenomen. Steven maakte er wel eens grapjes over. 'Zo, was je ergens boos over?' vroeg hij soms plagend wanneer ze de ramen weer eens gezeemd, of de keuken een goede beurt gegeven had.
Ze stond net op het trapje de bovenste ramen te zemen toen buurman Jan naar haar toe kwam en zijn vraag stelde.
'Ik heb haar vanmorgen naar het ziekenhuis gebracht voor haar eerste chemokuur,' beantwoordde ze zijn vraag.
'Spannend,' zei de buurman. 'Maar gelukkig is ze in Gods hand.'

'Zo is het. En in de hand van deskundige doctoren,' zei Hanneke. 'We zullen voor haar bidden. Hoe is het met Aafke en Sanne?' vroeg buurman Jan toen. 'Ik heb hen allebei al een poosje niet gezien.'
'Met allebei goed. Gelukkig wel,' zei Hanneke. 'Aafke heeft het druk. Die is met een vervolgstudie bezig, naast haar werk, en dus heeft ze weinig tijd over. Vanavond gaat ze even bij Lobke langs. En met Sanne gaat het ook goed. We hebben haar dit weekend maar niet naar huis gehaald, omdat er toch wat spanning in huis hangt rondom de ziekenhuisopname van Lobke, en Sanne is erg gevoelig voor dat soort spanning.'
'En met jullie twee?' vroeg buurman Jan belangstellend.
'Ook goed. De eerste dagen waren wel moeilijk. We verwerkten het allebei toch op een andere manier. Vooral Steven vond het lastig erover te praten. Maar sinds zaterdag gaat dat beter.'
'O?' vroeg de buurman.
Maar Hanneke wilde buurman Jan niet aan zijn neus hangen wat er zaterdag gebeurd was. Ze was inmiddels klaar met zemen, vouwde het trapje in elkaar, pakte de emmer en het trapje en liep ermee naar de achterdeur.
'Bedankt voor de belangstelling, buurman,' zei ze nog, en toen verdween ze naar binnen. Ze gooide het sop weg, spoelde de zeem uit, maakte de emmer schoon en droog en bracht alles naar de bijkeuken. Daarna zette ze een kopje koffie voor zichzelf en ging ermee op de bank zitten. Haar gedachten gingen terug naar zaterdagochtend.

* * *

Na Stevens huilbui hadden ze nog een poos zitten praten. Zij over haar schuldgevoel en twijfels, Steven over zijn boosheid en het akelige, lege gevoel dat hij min of meer gezocht had om die boosheid niet te hoeven voelen. Ze hadden met de armen om elkaar heen naar elkaar geluisterd. Meer niet, en dat was goed geweest.
Zo had Lobke hen gevonden. 'Wat zitten jullie hier te doen?' had ze verbaasd gevraagd. 'Jullie lijken wel zo'n klef stel.'

'Maar dat zijn we toch ook?' had Steven plagend geantwoord. Hij had zijn arm uitgestoken naar Lobke. 'Kom eens bij me.'
Lobke was aan de andere kant van Steven op de bank gaan zitten. Hij sloeg zijn arm ook om haar heen en drukte Hanneke en Lobke stevig tegen zich aan.
'Mijn sterke vrouwen,' zei hij tevreden lachend. En toen tegen Lobke: 'Lobke, sorry.'
'Waarvoor?' vroeg Lobke.
'Omdat ik jou en je moeder de afgelopen week ontlopen heb. Dat was niet goed van me.'
'Nou, ik snap best wel dat het voor jullie ook niet makkelijk zal zijn,' zei Lobke wijs.
'Dat is het ook niet, maar dokter Rensen had toch duidelijk het advies gegeven met elkaar in gesprek te blijven, en ik ben dat juist uit de weg gegaan de afgelopen week,' zei Steven. 'Ik lag helemaal overhoop met mezelf en ik vond dat ik daar zelf uit moest zien te komen omdat ik jullie daarmee niet wilde belasten. Terwijl het daardoor alleen maar erger werd. Dokter Rensen had gelijk. Juist door dingen met elkaar te delen worden ze draaglijk voor iedereen.'
'Ja, dat merk ik ook bij Roel,' zei Lobke. 'Voor hem zal het toch ook niet makkelijk zijn. Ik bedoel... Zijn moeder is doodgegaan aan kanker, en toen we in Londen waren had hij me verteld hoe machteloos hij zich toen had gevoeld en dat hij hoopte dat nooit meer mee te maken. Het gekke is nu dat ik met hem te doen heb, en hij met mij. Maar door daar met elkaar over te praten, werd het iets van ons beiden. En zo voel ik dat ook: overmorgen ga ik voor mijn eerste kuur, maar ik weet dat Roel in gedachten bij me zal zijn. En dat helpt.'
'Maar jij bent degene die zich ziek zal voelen van de kuren,' zei Hanneke. 'Wat dat betreft, lijkt het wel een beetje op bevallen: er kunnen wel honderd mensen om je bed heen staan die met je meeleven, maar jij bent degene die de pijn van de weeën voelt, jij moet daar doorheen.'
'En ik weet hoe het voelt daar aan de zijlijn te staan, tot drie keer toe,' zei Steven. 'En dat is niet leuk, kan ik je zeggen. Ik voelde me

toen zo machteloos. En zo voelt dat nu ook tegenover jou, Lobke.'
'Wat mij destijds geholpen heeft, vooral de eerste keer, toen Aafke geboren werd,' zei Hanneke, 'was het besef dat er miljarden mensen op de wereld zijn, die allemaal geboren zijn. Daar hebben natuurlijk ook keizersneden bij gezeten, maar de meeste mensen zijn toch op een natuurlijke manier geboren. Dus hadden er ook miljarden vrouwen vóór mij de pijn van een bevalling gevoeld, en hadden al die vrouwen ervaren hoe het was een kind te baren. En dat gaf een wonderlijk gevoel van verbondenheid, waardoor ik minder tegen die bevalling opzag.'
'Ik vind dat wel een mooi beeld. Bedankt, mam,' zei Lobke. 'Er zijn al zo veel mensen die een chemokuur hebben ondergaan. Ik ben niet de enige. Ik ga dus morgen ervaren wat velen voor mij al ervaren hebben. En ik heb Roel, en jullie en Aafke en Sanne en mijn vriendinnen die me er wel doorheen slepen.'
Hanneke was ontroerd dat Sanne ook een plaats in de opsomming van Lobke had gekregen. 'En God?' vroeg ze toen. 'Misschien wel een moeilijke vraag, maar we hebben beloofd dat we alles met elkaar zouden bespreken.'
'Ja, daar heb ik het ook met Roel over gehad. Roel is niet met de kerk en zo opgevoed, maar hij gelooft wel dat er iets als een Schepper is. Ik heb hem verteld dat ik wel gedoopt ben en dat we vroeger regelmatig naar de kerk gingen, maar dat dat de laatste jaren verwaterd is, en dat we het thuis eigenlijk nooit meer over God hebben. Terwijl ik zeker weet dat jullie nog wel in Hem geloven. Toch?' Ze keek haar ouders vragend aan.
Hanneke keek naar Steven. Ze was benieuwd naar zijn antwoord. Zou hij weer zo boos worden als toen bij de huisarts?
Steven keek Lobke aan. 'Ik weet het niet,' zei hij toen eerlijk. 'Maar ik denk er wel veel over na.'
'En jij, mam?' vroeg Lobke toen aan Hanneke.
'God is voor mij iemand die precies weet hoe ik in elkaar zit,' zei Hanneke, 'omdat Hij me gemaakt heeft. Ik geloof dat Hij ondanks mijn tekortkomingen van me houdt zoals ik ben, nog meer dan jullie doen. En dat Hij tegen me zegt: 'Leef je leven, kind, met al je mogelijkheden en onmogelijkheden. Wees niet bang daarbij

fouten te maken, want die fouten zijn je bij voorbaat al vergeven door het bloed van mijn Zoon. Leer van je fouten, en maak iets van je leven. Dat is mijn cadeautje voor jou.' Zo zie ik het leven ook. Als een cadeautje dat ik zelf moet uitpakken.'
'En Sanne, zie je die ook als cadeautje?' vroeg Steven toen.
'Ja, ook Sanne. Want van haar heb ik dingen geleerd die niemand anders me kon leren. Door haar ogen zie ik vreugde in kleine dingen. Door haar handicap leer ik dat gezondheid niet iets vanzelfsprekends is.'
'Ik zei gisteren nog tegen Tim dat ik me mede door Sanne zo sterk voel,' zei Lobke.
'O?' vroeg Steven. 'Vertel eens.'
'Nou, Sanne heeft er ook niet voor gekozen epilepsie te krijgen,' legde Lobke weer uit. 'En die voelt zich ook niet lekker wanneer ze allemaal aanvallen achter elkaar krijgt. En die moet ook medicijnen slikken. En ondanks dat alles leeft zij haar leven op haar eigen manier, en heeft ze op haar manier ook plezier.'
Steven klonk schor toen hij zei: 'Zie je nu dat jullie sterke vrouwen zijn?'
'Hoe kijk jij dan naar Sanne, pap?' vroeg Lobke.
Steven aarzelde. 'Nou...' begon hij voorzichtig, 'om eerlijk te zijn...'
'Toe, pap, we zijn nu toch bezig. Voor de draad ermee,' moedigde Lobke haar vader aan.
Hanneke keek nieuwsgierig naar Steven. Wat zou hij zeggen?
'Allereerst: ik houd van Sanne, en ik zou haar niet graag missen. Laat dat duidelijk zijn,' begon hij toen. 'Maar af en toe bekruipt me de vraag naar de zin van haar bestaan. Wanneer ik zie dat ze ongelukkig is wanneer ze weer eens een serie aanvallen achter elkaar heeft. Wanneer ik in De Roos kom en zie hoe sommige medebewoners van haar vegeteren, en ik bang ben dat zij ook zo wordt. Misschien heeft dat wel te maken met mijn opvoeding. Daarin werd er altijd op gehamerd dat je je talenten moest ontwikkelen, dat dat je opdracht was in dit leven, dat je dienstbaar moest zijn met die talenten, dat dat dus iets zichtbaars moest opleveren: een goede baan met een goed salaris, een goede naam,

aanzien bij mensen. Al was dat aanzien niet iets waarnaar je mocht streven, want dan werd je hoogmoedig, en dat was een grote zonde.' Hij was even stil en ging in gedachten terug naar vroeger. 'Ja, opa Schrijver was 'recht in de leer', zoals hij dat noemde. Maar God werd daardoor een soort boeman voor me, iemand die je constant in de gaten hield of je wel het 'rechte pad' bewandelde. Ik heb een tijd gehad dat ik, geestelijk gezien, zelfs geen stap durfde te verzetten, zo bang was ik dat ik een stap verkeerd zette en dat God daardoor boos werd, of dat, zoals opa zei, 'Gods toorn zou ontbranden'.'

Hanneke had verbaasd geluisterd naar Stevens verhaal. Diens ouders waren al overleden toen zij hem leerde kennen, en hij had destijds weinig over hen verteld. Ze wist wel dat hij kerks opgevoed was geweest, maar op het moment dat zij hem leerde kennen, ging hij al niet meer naar de kerk. Zijzelf was ook wel opgevoed met God en kerk, maar de God in die kerk was altijd een God van liefde geweest. Steven was met haar meegegaan in haar wens in de kerk te trouwen en de kinderen daar te laten dopen, maar daar was alles ook mee gezegd. En nu dit.

'Tjonge, dat klinkt eng,' was Lobkes reactie.

'Dat was het ook,' zei Steven. 'Daarom weet ik nog steeds niet wat ik van God moet denken.'

'En Sanne?' vroeg Lobke. 'Want daar hadden we het over.'

'Ja, over Sanne en de zin van haar bestaan,' hielp Hanneke.

'Nogmaals: ik houd van Sanne. Maar misschien is dat wel de zin van haar bestaan. Dat ze mensen leert lief te hebben zonder daar iets voor terug te verwachten.'

'Zo is het net alsof Sanne zelf niets te geven heeft,' reageerde Hanneke verontwaardigd.

'En daar doe ik Sanne mee tekort,' wist Steven. 'Ik weet nu even niets meer te zeggen. Ik ben er zelf nog niet uit. Misschien heeft het ermee te maken dat ik me afvraag of Sanne wel een 'rechte weg' kan bewandelen in de ogen van God.'

'In de ogen van die strenge God van opa Schrijver, zul je bedoelen,' viel Lobke uit. 'Nou, gelukkig kijk ik op een andere manier naar God.'

'Hoe dan?' Steven keek zijn jongste dochter nieuwsgierig aan.
'Nou, zo'n beetje als mam. Dat Hij mijn Schepper is, en dat Hij van me houdt, onvoorwaardelijk.'
'En die leukemie dan?' vroeg Steven.
'Ik weet niet of dat iets is wat Hij wil,' zei Lobke. 'Dat doet er ook weinig toe. Ik heb het, en ik zal ermee moeten leren leven. Maar ik geloof wel dat Hij me daarin nabij is.'
'Daar ben ik blij mee, meisje,' zei Hanneke. 'Vinden jullie het nu goed dat we er een andere keer verder over praten, want ik weet niet hoe het bij jullie is, maar ik krijg honger.' En met een blik op de klok zei ze lachend: 'En ik zei twee uur geleden al dat ik ging douchen.'
'Ik eerst,' riep Lobke, en ze sprong op en rende naar boven.
'Oké, jij eerst,' bromde Hanneke. Ze vleide zich tegen Steven aan. 'Zo, dan kan ik nog lekker even bij jou kroelen.'
Steven lachte. 'Altijd al gezegd dat je een kroelkont was. Dat hebben die meiden dus van jou. Nou ja, kom dan maar.' Hij deed alsof hij de kroelbui gelaten over zich liet komen, maar hij genoot ervan, blij dat hij weer iets kon voelen en dat die akelige leegte verdwenen was.
Het was ondanks de spanning van de aanstaande kuur verder een fijn weekend geweest met z'n drietjes. Roel was zaterdagmiddag nog langs geweest, en Aafke was 's zondags komen eten. Hanneke en Steven waren zondagavond samen een flink eind wezen lopen, stevig gearmd. Het vertrouwde gevoel tussen hun beiden was terug.

* * *

Hanneke schrok op uit haar mijmeringen doordat de telefoon ging.
'Hoi, mam, met mij,' klonk Lobkes stem. 'Nou, de eerste kuur zit erin. Ik voel nog niks, maar dat zal wel komen. Kom je nog vanmiddag? En wil je dan mijn boek meenemen? Het ligt op mijn nachtkastje. Doei.'
Hanneke legde de hoorn op de haak. Zo, de kop was eraf.

9

VANDAAG WAS HET DE LAATSTE DAG VAN DE EERSTE SERIE CHEMOkuren. Lobke had de eerste dagen weinig last gehad van de cytostatica, die door middel van een klein infuus bij haar ingebracht werden. Haar eetlust was goed, ze verveelde zich niet, ze rustte veel. Steven had haar zijn laptop gegeven, zodat ze ook vanuit het ziekenhuis kon mailen. Ze werd overstelpt door kaarten en mails van haar klasgenoten en van familie en kennissen en ze zat regelmatig te msn'en met Roel en met haar vriendinnen. Maar de laatste dagen hoorde Hanneke haar wat vaker over moeheid, pijn in haar botten en gevoelig tandvlees, al klaagde ze daar niet over. Ze constateerde gewoon dat dat zo was en accepteerde het als iets wat erbij hoorde. Ze had ook een paar dagen langer moeten blijven dan twee weken. Het was nu donderdag.

Hanneke keek naar buiten. Toen ze vanmorgen opstond, zag het er al naar uit dat het een mistige dag zou worden, en de mist was sindsdien alleen maar dikker geworden en lag als een dikke, donzige deken over de woonwijk. Ze reed niet graag in de mist, zeker niet op de grote weg. Je had altijd van die idioten die meenden dat ze gewoon honderdtwintig konden blijven rijden op de linkerrijbaan omdat daar toch vast niemand reed. Sommige auto's reden zelfs zonder lichten aan, ook al was het zicht minder dan honderd meter.

Ze pakte haar handtas en deed haar jas aan. Ze wilde eerst even bij haar ouders langs, die net buiten Abcoude woonden. Die waren ook benieuwd hoe het met Lobke was. Daarna zou ze doorrijden naar het ziekenhuis om Lobke te halen.

Ze startte de auto en reed langzaam weg. Hè, vervelend, die mist. Ze tuurde over de weg. Het was gelukkig niet druk buiten.

Even later draaide ze de snelweg op, en ze voegde voorzichtig in. Ze oriënteerde zich op de achterlichten van de auto voor haar en hield op veilige afstand die snelheid aan. Ze vorderde langzaam. Ze besefte ineens het belang van de strepen op de weg, die de weg markeerden binnen het bereik van haar koplampen.

Ze moest onwillekeurig terugdenken aan haar gedachtegang van een tijd geleden. Ze bedacht dat de tijd waarin ze zich nu bevonden, ook wel iets weg had van mist: ze konden niet vooruitkijken, alleen maar bij de dag leven. En daarbij hadden ze 'strepen op de weg' hard nodig om niet van de weg te raken.
Ze vroeg zich af wat voor haar in deze 'mistperiode' haar oriëntatiepunten waren, wat voor haar 'strepen op de weg' waren, die haar weg markeerden, waaraan ze houvast had.
Ze dacht aan de opmerkingen van Steven vorige week, over 'de rechte weg' van opa Schrijver. Bij hem en bij mensen als buurman Jan zouden de oriëntatiepunten wel de tien geboden zijn. Hoewel, *ge*boden? Het leken meer *ver*boden. Er stond vaker 'gij zult niet...' dan 'gij zult...'
Ze herinnerde zich een preek over de barmhartige Samaritaan, een van de weinige preken die haar echt bijgebleven waren. De priester en de leviet die langs het slachtoffer van de roofoverval kwamen, hielden zich punctueel aan de letter van de wet. Het was hun namelijk verboden in de buurt van een dode te komen. Dan zouden ze onrein worden en mochten ze geen dienst doen in de tempel. De Samaritaan kende die wet ongetwijfeld ook, al waren Samaritanen in de ogen van de joden een soort tweederangsburgers. Maar hij liet zich er daardoor niet van weerhouden zijn naaste het leven te redden. De farizeeën waren meesters in het leggen van een liniaaltje langs de vele wetten die er waren, en mensen daarop te beoordelen, maar vergaten daardoor het belangrijkste: de liefde. Jezus hield hun door deze gelijkenis voor dat het belangrijker was naar de geest van de wet te leven dan naar de letter van de wet. Dat had ze ook geleerd van haar vader, opa De Bont. Die had haar voorgeleefd wat Jezus ooit de samenvatting van de tien geboden had genoemd: 'heb God lief boven alles en uw naaste als uzelf'.
Was dat haar oriëntatiepunt? Haar liefde voor God? Wanneer ze aan God dacht, had ze voor Hem niet dat warme, vertrouwde gevoel van liefde dat ze had wanneer ze naar Steven keek, of de onvoorwaardelijke bijna-verliefde liefde die ze nog steeds voelde bij het kijken naar haar dochters. Vergeleken daarbij was wat ze bij

God voelde, geen liefde. Wat dan? Het belangrijkste gevoel dat in haar opkwam wanneer ze aan God dacht, was vertrouwen. Vertrouwen in zijn nabijheid, wat er ook gebeurde. In zijn trouw, waarheen de weg ook leidde. Trouw tot in de dood. Die trouw lag ook in zijn naam besloten: 'Ik ben'. Maar was vertrouwen niet net zoiets als liefde?

Bij de afslag Abcoude ging ze van de snelweg af. In Abcoude zelf viel het wel mee met de mist, maar haar ouders woonden buitenaf. Toen ze voorbij de laatste huizen reed, viel de mist weer als een wattendeken over het land.

Stapvoets rijdend bereikte ze het huis van haar ouders. Haar moeder, die wist dat ze langs zou komen, stond al op de uitkijk. Net als vroeger wanneer ik uit school kwam, schoot het door Hanneke heen.

Ze omhelsden elkaar. 'Dag, kind. Wat een mist, hè? Was het druk onderweg?'

'Dat viel wel mee. Zeker op de grote weg was het niet druk,' zei Hanneke. 'Maar ik ben blij dat ik er ben.'

'Kon je wel komen vandaag? Je werkt toch altijd bij Els op donderdag?' vroeg haar moeder.

'Ik heb geruild met gisteren, omdat ik vandaag Lobke moest halen. En in plaats van 's middags ben ik deze keer 's avonds bij Sanne langs geweest,' was de reactie van Hanneke.

Ze liep naar de woonkamer. 'Is pa er niet?' vroeg ze.

'Die is in de schuur bezig,' zei haar moeder geheimzinnig, 'voor Lobke.'

'Voor Lobke? Wat dan?' Ze werd nieuwsgierig. Haar vader kon de prachtigste dingen maken. Sinds zijn pensionering had hij zich toegelegd op beeldhouwen in steen, zoals speksteen, albast en serpentijn. Zowel bij haar thuis als bij Els stonden al diverse producten van zijn hand.

'Mag ik het al zien?' vroeg ze.

'Ga hem maar gedag zeggen. En zeg dan maar meteen dat er koffie is. Of wil je thee?'

'Doe mij maar thee, maar pa zal wel koffie willen,' wist Hanneke.

Ze liep naar de schuur. Daar was haar vader in zijn kaki overall bezig aan zijn werkbank. Zijn geconcentreerde, licht gebogen houding ontroerde haar.

'Ha, pa. Mag ik al kijken?' riep ze uit de verte.

Haar vader draaide zich om. 'Ha, Hanneke. Heb je ons kunnen vinden in die mist?'

'Blindelings,' grapte Hanneke. 'Ik heb weleens gelezen dat pasgeboren baby's uit een grote stapel kleren het ondergoed van hun ouders konden vinden, op de reuk, dus ik ben nu ook maar gewoon mijn neus achternagegaan. Maar mag ik al kijken? Ik hoorde van ma dat je met iets voor Lobke bezig was.'

Haar vader knikte. 'Kom maar kijken. Het is nog niet helemaal klaar, maar je kunt al wel zien wat het wordt.'

Hanneke gaf haar vader een knuffel en keek toen naar de werkbank. Een zucht van bewondering ontsnapte haar.

Op de werkbank stond een beeldje van wit albast. Een ranke figuur van een jonge vrouw, bijna een meisje nog, van zo'n dertig centimeter hoog. De onderkant van het beeldje was ruw gehouden, alsof de vrouw opsteeg uit de steen en pas begon bij haar kuiten. Haar armen waren omhooggeheven, de ene arm wat hoger dan de andere, alsof ze naar iets reikte. De bovenste hand opende zich, alsof die net iets gegeven had of klaarstond om iets te ontvangen. Op het gezicht van de vrouw, dat ook omhooggeheven was, was een vage glimlach te zien.

'Ik vind het schitterend,' zei Hanneke. 'Echt geweldig mooi.'

Haar vader glunderde. 'Ja, ik vind het zelf ook wel geslaagd. Het is nog niet helemaal af. Ik ben nu net voor de tweede keer klaar met schuren, en dat moet nog een paar keer, met steeds fijner schuurpapier. En dan nog in de was zetten natuurlijk. Zou Lobke het mooi vinden?'

'Dat weet ik wel zeker,' zei Hanneke. 'Niet alleen omdat ze je albasten beeldjes altijd het mooist vindt, maar vooral omdat je kunt zien dat het met zo veel liefde gemaakt is.'

'Kun je zien wat het voorstelt?' vroeg haar vader. Zonder haar antwoord af te wachten ging hij verder: 'Ik heb geprobeerd Lobke uit te beelden zoals ik haar nu zie. Bezig met het hogere, nu de dood en wat daarna komt zo dichtbij gekomen is. Met een open hand, in afwachting of ze haar gezonde leven terugkrijgt of zal moeten inleveren. Met haar voeten en onderbenen vast in de grond, omdat er allerlei krachten zullen zijn die haar hier op aarde willen houden. En met een glimlach om haar mond. Niet omdat het allemaal zo leuk is wat ze nu meemaakt, maar omdat ik zeker weet dat Lobke, hoe het ook zal aflopen, er iets goeds van weet te maken. Gewoon omdat het Lobke is, en door de manier waarop ze in het leven staat.'

Bij Hanneke schoten de tranen in de ogen. 'Ik vind het echt prachtig.' Ze omhelsde haar vader. 'Dank je wel.'

'Hoe is het nu met Lobke?' vroeg haar vader.

'Tot nu toe goed. Ze krijgt wel iets meer last van de chemokuur, maar dat hoort erbij. En ze draagt het manmoedig, liever gezegd, vrouwmoedig. Ik ga haar zo halen. O ja, ma vroeg of je koffie kwam drinken.'

'Dat is goed, kind. Dit moet nu toch weer even drogen.' Haar vader deed zijn overall uit en liep achter haar aan naar de woonkamer. Daar zat haar moeder al te wachten met koffie en thee.

'En, hoe vind je het?' vroeg haar moeder.

'Ik vind het prachtig, echt heel mooi,' zei Hanneke. 'Het mooiste wat pa tot nu toe gemaakt heeft.'

'Het is dan ook voor een bijzonder iemand,' zei haar vader. 'Maar nog niks tegen Lobke vertellen, hoor.'

'Nee, natuurlijk niet. Wanneer krijgt ze het?'

'Ik denk dat het overmorgen wel klaar is. Kunnen we het dan 's middags komen brengen? We verlangen er allebei naar haar weer te zien, hè, Aaf?' zei haar vader.

Haar moeder knikte.

'Ja, gezellig,' zei Hanneke. 'Blijven jullie dan eten? Dan is het zaterdag. Fijn, dan zien jullie Steven ook. En ik kan vragen of Aafke dan ook komt eten.'

'Is dat niet te druk voor Lobke?' vroeg haar moeder bezorgd.

'We hebben afgesproken dat Lobke zelf haar grenzen zal bewaken en dat ze gewoon naar boven gaat wanneer ze zich moe of niet lekker voelt,' zei Hanneke. 'Wij kunnen niet voelen wat zij voelt. Dat zal ze zelf moeten aangeven.'

'Goed, dat is dan afgesproken. Overmorgen. Wil je nog een kopje thee?'

* * *

Even later zat Hanneke weer in de auto, op weg naar het ziekenhuis. Ze dacht weer aan het beeldje dat haar vader van de zieke Lobke gemaakt had, en dat zo treffend weergaf hoe hij Lobke zag. Hij had gelijk, Lobke was iemand die overal het beste van wist te maken.

Ze had ooit eens een kaart van iemand gekregen waarop stond: de ware levenskunstenaar hoeft niet van alles het beste te hebben, maar weet van alles het beste te maken. Nou, als dat klopte, was Lobke ondanks haar jonge leeftijd de levenskunst al meester.

De mist was nu gelukkig aan het wegtrekken, en ze kon goed doorrijden. Ze parkeerde haar auto op de parkeerplaats bij het ziekenhuis en ging naar binnen. Weer trof haar de sfeer in het ziekenhuis, en de lichte ruimten overal. Waar ze ook kwam, of het nu in het restaurant was, in het lab of op de afdelingen, overal waren de mensen uitermate vriendelijk en behulpzaam. Hier waren tijd en aandacht nog wezenlijke begrippen. Hier was 'kwaliteit van zorg' zichtbaar in de houding en het handelen van het verplegend personeel, in plaats van in allerlei lijstjes die ingevuld en afgevinkt moesten worden en waarlangs de liniaaltjes van de politiek gelegd konden worden.

Ze ging met de lift naar de afdeling waar Lobke lag. Lobke lag aangekleed op bed en was net aan het bellen met iemand. Haar tas stond al klaar bij de tafel die voor het raam stond. Het bed tegenover haar was leeg; haar overbuurman was gisteren al naar huis gegaan.

'Hé, ik ga ophangen. Mijn moeder komt me net halen,' zei Lobke. 'Doei, tot morgen.' Ze keerde zich naar Hanneke. 'Hoi, mam. Dat was Roel,' zei ze toen. 'Hij komt morgenmiddag even langs.'

Ze stapte van het bed af en liep naar de kast waar haar jas hing.

'Ben je er helemaal klaar voor?' vroeg Hanneke.

'Ja, ik heb medicijnen voor de eerste paar dagen meegekregen, en recepten en formulieren voor het lab. Vanmorgen is de dokter nog even langs geweest. Hij was tevreden, en ik ook. Deze kuur is goed gegaan,' zei Lobke.

'Nou, laten we hopen dat het vervolg net zo goed gaat,' zei Hanneke. 'Moet je nog gedag zeggen?'

'Heb ik ook al gedaan. Gisteren is Trea nog langs geweest, een soort pb'er, en die heeft wel een uur met me zitten praten over wat dit allemaal met me doet en zo. Dat was fijn. Ze nemen hier echt de tijd voor je.'

'Ja,' zei Hanneke, 'hier is gelukkig nog niets te merken van al die negatieve verhalen over de zorg. Hier is nog tijd en aandacht voor de patiënten.' Ze pakte de tas op en liep met Lobke naar de lift.

'Het was mistig vanmorgen, hè?' zei Lobke toen ze in de auto zaten. 'Niks voor jou. Jij rijdt toch niet graag in de mist?'

'Nee, maar nu is de mist gelukkig bijna weer weg. Je moet de groeten hebben van opa en oma. Daar ben ik op de heenweg even langs gereden.'

'Alles goed met mijn lievelingsopa?'

Hanneke lachte. 'Je hebt maar één opa en oma.'

'Nou ja, je weet hoe dol opa en ik op elkaar zijn. Oma is ook lief, hoor,' vervolgde ze, 'maar opa en ik zijn een soort *soulmates*.'

'Met opa en oma is alles goed. Ze komen overmorgen eten,' zei Hanneke.

'Sellie,' zei Lobke. 'En hoe is het met Sanne? Aafke is nog langs geweest in het ziekenhuis, maar ik verlang best wel naar Sanne.'

'Met Sanne is het ook goed. Alleen mag je haar niet opzoeken de komende dagen, want er heerst griep op De Roos, en het is beter voor je dat je niet in aanraking komt met zieke mensen. Sanne mag ook niet naar huis. Ze is zelf wel niet ziek, maar ze kan het virus misschien meebrengen. Je bent nu een stuk vatbaarder voor infecties, en dat moeten we niet hebben. Ik ben gisteravond naar De Roos geweest om schone was te brengen, maar ik ben daarna ook meteen teruggegaan.'

'Dan bel ik haar wel wanneer we thuis zijn. Hè, ik heb echt zin om weer naar huis te gaan. Al waren ze allemaal erg lief voor me daar. Maar *there's no place like home*.'

'Heb je nog geen last van misselijkheid?' vroeg Hanneke. 'Daar hadden ze je toch voor gewaarschuwd?'
'Vanmorgen een beetje. Maar toen ik wat gegeten had, was het over. Ze hebben gezegd dat ik beter regelmatig kleine beetjes kan eten dan drie keer op een dag heel veel. Wat eten we vanavond?'
'Stamppot zuurkool met worst, je lievelingskostje,' zei Hanneke. 'Daar vond ik het echt weer voor, met die mist.'
'Lekker.' Lobke zat tevreden voor zich uit te kijken.
Afgezien van haar witte gezicht was aan niets te merken dat ze zo ziek was. Als je niet beter wist, zou je zeggen dat er gewoon een gezonde jonge meid zat, dacht Hanneke.

10

De volgende dag kwam Roel 's middags op bezoek. Lobke lag te rusten. Ze leek nu steeds meer last te krijgen van de chemokuur, want ze was wat vaker misselijk en erg moe. Ze deed het wat luchtig af: 'Nou ja, dan doet het in ieder geval iets.'
Maar Hanneke maakte zich bezorgd. Ze had de folders weer eens nagelezen, en zo te lezen hoorde dat er inderdaad allemaal bij. Dat waren niet alleen bijwerkingen van de chemokuur, maar wellicht ook van al die medicijnen die Lobke daarnaast moest slikken.
Na de lunch was Lobke even op bed gaan liggen. 'Wanneer Roel komt, moet je me roepen, hoor, mam.'
Hanneke zag Roel aankomen en liep snel naar de voordeur, zodat hij niet hoefde te bellen. Ze deed zachtjes de deur open en zei fluisterend: 'Hoi, Roel, kom binnen. Lobke ligt net een poosje in bed.'
'Hoe is het met haar?' Roel fluisterde ook.
'Gaat wel. Ze is af en toe misselijk en erg moe. Maar kom verder.'
Roel hing zijn jas op de kapstok en liep achter Hanneke aan de woonkamer in. Hij had een bosje bloemen meegebracht, zalmkleurige roosjes met wit gipskruid.
'Zal ik ze vast in een vaasje zetten?' vroeg Hanneke.
'Graag.'
Hanneke pakte een vaasje, sneed de stelen schuin af en schikte de roosjes in het vaasje. 'Schattig. Daar zal Lobke blij mee zijn. Wil je thee of koffie, of iets fris?'
'Doet u maar iets fris.'
Even later zaten ze tegenover elkaar in de woonkamer. Roel vertelde dat ze in de klas allemaal erg geschrokken waren van de ziekte van Lobke. Hun mentor, Mirjam Foekens, had vorige week bijna het hele lesuur gebruikt om er met de klas over te praten. Iedereen had dat erg gewaardeerd. 'Mirjam wil zelf ook een keer langskomen als dat goed is,' zei hij.
Hanneke moest er nog steeds aan wennen dat sommige leraren

op de middelbare school bij hun voornaam genoemd werden. In haar eigen middelbareschooltijd was dat ondenkbaar geweest. Leraren stonden toen, net als dominees en dokters, op grote hoogte. Bijnamen hadden zij natuurlijk ook gebruikt, zoals 'Polletje' voor de statige leraar Frans en 'Aaipoes' voor de kattige lerares wiskunde, maar dat deden ze stiekem. Die namen gebruikten ze nooit tegen de desbetreffende leraar of lerares zelf. 'Dat is goed. Laat haar maar bellen voor een afspraak,' zei Hanneke. 'En als er klasgenoten langs willen komen, is het misschien ook wel fijn als ze vooraf bellen. Dan voorkomen we dat de ene dag wel tien mensen tegelijk langskomen, en de andere dag niemand.'
'Dat had Mirjam ook al geadviseerd,' zei Roel. 'Dus nu maken Joyce en Karin een soort rooster, zodat er regelmatig iemand langskomt. En Mirjam heeft ook gezegd dat we moeten oppassen met infecties, en dat we niet langs mogen komen wanneer we ziek zijn.'
'Verstandig van Mirjam,' vond Hanneke.
'Haar vader heeft ook een soort kanker gehad. Ze wist dat dus uit ervaring,' vertelde Roel.
'Hoe is het nu met jou?' vroeg Hanneke.
'Hoezo, met mij? Ik ben niet ziek,' reageerde Roel wat afwerend.
'Nou, het is toch niet niks dat je vriendin ineens zo snel zo ziek is. Het lijkt me voor jou ook heel zwaar. Je hebt al het nodige met je moeder meegemaakt, en nu dit.'
Roel zei niets. Hij knikte alleen maar en keek daarbij strak voor zich uit.
Hannekes hart ging ineens naar de jongen uit. Hij had twee jaar geleden zijn moeder verloren aan die akelige ziekte. Ongetwijfeld zou hij bang zijn dat hij Lobke nu ook kwijtraakte. 'Jongen toch, ik zou zo graag voor jullie willen dat het anders was,' zei ze toen zacht.
'Ja, wij ook,' zei Roel met een snik in zijn stem. 'Maar het is nu eenmaal zo. Ik vind het het ergst voor Lobke. Ik zou willen dat ik iets kon doen.' Hij begon zacht te huilen.
Hanneke ging naast hem zitten en sloeg haar arm om hem heen. Roel snikte onbedaarlijk en leunde daarbij tegen Hanneke aan.

Hanneke ging van de weeromstuit meehuilen. Zo zaten ze een poosje naast elkaar op de bank, met de armen om elkaar heen. Toen ging de deur van de kamer open.
Lobke kwam binnen.
'Mooi stel zijn jullie. Zitten jullie hier gezellig samen op de bank, en ik in mijn uppie boven.'
Roel keek haar aan, zijn gezicht nog nat van de tranen. Ondanks zijn verdriet moest hij toch even lachen. 'Dan kom je er toch gezellig bij zitten. Gaan we lekker met z'n drietjes zitten huilen,' zei hij. Hij stak zijn arm uit naar Lobke.
Hanneke stond op. 'Ik heb voor vandaag wel weer genoeg gehuild,' zei ze. 'Bedankt, Roel.'
'Nee, u bedankt. Dat had ik net effe nodig.'
Lobke ging naast hem op de bank zitten. 'Lekkere vriend ben jij. Ben ik er even niet, stort je je meteen in de armen van een andere vrouw.' Ze stompte hem speels tegen zijn arm.
Even later rolden ze samen als een stel jonge honden vrolijk stoeiend over de vloer.
Hanneke stond er lachend bij te kijken.
Roel won met gemak. Hij pakte Lobke bij haar polsen, duwde die naar de grond, ging schrijlings over haar heen zitten en zei: 'En nu zeggen dat ik lief ben.'
'Nooit.'
'En ik heb nog wel bloemen voor je meegebracht,' zei Roel toen met een pruillipje. 'Is dat dan niet lief?'
'Waar dan?' Lobke draaide haar hoofd naar de tafel. 'O, die? Zijn die van jou?'
Roel knikte heftig. 'Zelf uitgezocht. Vind je me dan toch weer een beetje lief?'
'Nou, vooruit dan maar: je bent lief. Nou goed? Laat je me dan nu los?'
Hanneke lachte. 'Nou, dat gaat wel van harte.'
Voor Roel was het blijkbaar voldoende. Hij liet Lobke vrij, en daarna liepen ze met de armen om elkaars schouders naar boven.

* * *

Aan het eind van de middag belde Hanneke even naar De Roos om te vragen hoe het met Sanne was. Ze kreeg Tim aan de lijn.
'Met Sanne is het goed. Die heeft nauwelijks last van de griep gehad, alleen een lichte verkoudheid,' zei Tim. 'Maar ik kan merken dat ze jullie mist. Ze vraagt regelmatig naar jullie, en roept steeds: 'Huis! Huis!' Ze is er ook zo aan gewend dat jullie haar komen halen.'
'Ja, wij missen haar ook. Maar helaas kan het nu niet,' zei Hanneke. 'Heeft ze nog voldoende schone was?'
'Ja hoor, maak je daar maar geen zorgen over. Desnoods doen wij haar was een keertje zelf. We hebben hier ook een wasmachine staan voor de keukendoeken en zo,' zei Tim. 'Jullie hebben nu al genoeg aan je hoofd. Hoe is het met Lobke?'
Hanneke vertelde hoe het de afgelopen dagen gegaan was. 'Lobke mist Sanne ook erg,' zei ze toen.
Ineens kreeg Tim een idee. 'Hebben jullie een webcam?' vroeg hij.
'Ja, op Stevens laptop zit een ingebouwde webcam,' zei ze. 'Hoezo?'
'Wij hebben hier ook een webcam, vorige week gekregen van de ouders van Sjaak die ver weg wonen, en die op die manier contact willen houden met hun zoon. Zullen we Sanne ervoor zetten? Ze weet wat een computer is. Dat is dus niet eng voor haar.'
'Wat een goed idee,' zei Hanneke. 'Ik ga meteen Lobke roepen. Is Sanne in de buurt?'
'Ze is net terug van therapie. Als jij nu Lobke roept en de laptop klaarzet, zorg ik ervoor dat Sanne hier komt, en dan bel ik zo terug.' Hij hing op.
Hanneke liep naar de trap en riep naar boven: 'Lobke, Roel, willen jullie even komen?'
Lobke en Roel kwamen al snel de trap af gestommeld.
'Wat is er, mam?' vroeg Lobke.
'Weten jullie hoe de webcam van de laptop van pappa werkt?' Hanneke was zelf atechnisch als het op computers aankwam.
'Tuurlijk, makkie,' zei Roel. 'Hoezo?'
'Ik had net Tim aan de telefoon, en die had een goed idee. Ze

hebben op De Roos sinds kort ook een webcam, en nu wil hij Sanne ervoor zetten. Als jij er dan hier voor gaat zitten, Lobke, kunnen jullie samen even kletsen.'

'Gaaf,' riep Lobke. 'Gauw, Roel, de laptop ligt in dat kastje.'

Roel had al snel de laptop geïnstalleerd. Nu was het wachten op het telefoontje van Tim.

Na een paar minuten belde hij. 'Is alles aan jullie kant klaar? Sanne zit al voor de computer. Ze roept steeds: 'Nijntje.' Wat zal ze opkijken wanneer ze ziet dat niet Nijntje, maar Lobke op het scherm verschijnt.'

Na wat technische uitwisselingen tussen Roel en Tim over het te draaien programma werd de verbinding tot stand gebracht.

'Kijk eens wie daar is,' hoorde Hanneke Tim zeggen.

Ze zagen Sannes gezicht op het scherm.

Die riep eerst: 'Nijntje! Nijntje!' Maar al snel had ze door dat dat helemaal geen Nijntje was. Ze begon hard te lachen: 'Lobke! Lobke!' Ze zwaaide heen en weer van plezier. En toen Lobke ook nog eens tegen haar begon te praten, kende haar enthousiasme geen grenzen meer.

'Lobke! Huis! Lobke! Sanne Lobke toe!' riep ze.

Bij Hanneke schoten de tranen in de ogen, en ook Lobke was ontroerd.

'Hé, Sannetje, lieve schat,' riep ze. 'Wat fijn je weer te zien.'

'Ja, Lobke sien!' riep Sanne. 'Lobke lief!'

'Ik vind Sanne ook heel lief,' riep Lobke. 'En wat heb je een mooie trui aan.'

Sanne straalde. Ze viel van enthousiasme bijna uit haar rolstoel. Het was maar goed dat ze vastzat. 'Mooie trui! Lobke!'

'Mag ik straks ook even?' vroeg Hanneke.

Lobke kletste nog even met Sanne en schoof toen opzij, zodat Hanneke achter de laptop kon plaatsnemen.

'Hé, dag, meisje van mamma,' zei Hanneke zacht. Ze besefte dat ook zij Sanne gemist had. De laatste dagen waren in een roes voorbijgegaan, waarin ze eigenlijk nauwelijks aan Sanne had gedacht.

'Mamma!' riep Sanne. 'Mamma lief! Huis!'

'Een ander keertje mag je weer naar huis,' zei Hanneke. 'Naar pappa en naar mamma en naar Aafke en naar Lobke.'
'Huis! Huis!' riep Sanne.
Tims gezicht verscheen op het scherm. 'Zullen we het hier maar even bij laten? Ik merk dat het haar nogal opwindt. Hopelijk kan ze snel weer eens naar huis. En als het lang duurt, doen we het weer eens zo via de webcam.'
Hanneke knikte. 'Dat is prima,' zei ze. 'En bedankt, Tim. Hartstikke goed idee van je.'
Ook Lobke duwde haar hoofd nog even voor het scherm. 'Hoi, Tim. Gaaf, joh.'
'Hoi, Lobke. Fijn je weer te zien. Hoe is-tie?'
'Misselijk en moe. Maar dat gaat wel weer over.'
Ze zwaaiden allemaal nog even, en toen zette Roel de laptop uit.
'Hè, dat was fijn,' verzuchtte Lobke. Ze leunde achterover. 'Maar nu ben ik bekaf.'
'Ik ga zo weer naar huis,' zei Roel. 'Dan kun jij nog even rusten voordat je straks gaat eten.'
'Ik moet nu nog even niet aan eten denken,' zei Lobke. 'Die chemo ga ik nu steeds meer voelen, denk ik, want ik heb weinig trek.'
'Als je er maar voor zorgt dat je wel voldoende drinkt,' zei Hanneke bezorgd.
'Ik pak wel een flesje spa,' zei Lobke. 'Als jullie het niet erg vinden, ga ik nu naar boven. En als jullie het wel erg vinden, ga ik toch,' voegde ze eraan toe. 'Dag, Roel.' Ze kuste hem licht op zijn wang.
'Dag, Lob. Kom je vanavond nog even op msn?'
'Dat is goed. Om een uur of negen. Kan dat?'
'Oké. Dan zit ik klaar voor je. Tot vanavond.'
Lobke pakte een flesje spa uit de koelkast en ging naar boven.
'Nou, dan ga ik maar,' zei Roel tegen Hanneke. Hij liep op haar af en gaf haar een kus.
Hanneke drukte hem even tegen zich aan. 'Dag, jongen,' zei ze. 'Weet je wel dat ik ontzettend blij ben dat Lobke jou als vriend heeft?'

'Dank u wel,' zei Roel eenvoudig. 'Nou, dag, de groeten aan uw man.'

Hanneke zat nog even na te genieten van het contact met Sanne en ging toen naar de keuken om eten te koken.

11

Op zaterdag kwamen opa en oma De Bont op bezoek. Lobke had erg naar hun bezoek uitgekeken.
Aafke was 's morgens al gekomen. Die vond het ook fijn opa en oma weer te zien.
'Opa wordt oud,' zei Lobke toen ze hen uit de auto zag stappen. 'Zijn haar wordt steeds witter, en het is alsof hij steeds meer gebogen gaat lopen.'
'Laat hij het maar niet horen,' zei Hanneke. 'Hij voelt zich nog lang niet oud.'
Steven was al naar de voordeur gelopen om die open te doen. 'Moet ik even helpen met die doos?' riep hij toen hij zijn schoonvader een doos van de achterbank zag pakken.
'Nee hoor, zo zwaar is het niet,' riep opa terug. Hij nam de doos onder zijn arm en sloot de auto af. Daarna liepen oma en hij naar de voordeur.
'Hèhè, we zijn er. Dag, Steven.' Oma kuste haar schoonzoon, en opa gaf hem een stevige hand en een klopje op zijn schouder. Steven hielp zijn schoonouders uit hun jassen en hing die aan de kapstok.
'Dag, pa. Dag, ma. Kom verder. De dames zitten al te wachten.'
De kamerdeur vloog open.
'Ha, opi.' Lobke vloog haar opa om zijn nek en knuffelde hem stevig. Daarna was oma aan de beurt. 'Ha, omi.'
Aafke deed het wat rustiger aan. 'Dag, opa. Dag, oma. Tijd niet gezien.'
'Je ziet er goed uit, kind. Alles goed met jou?' vroeg oma aan haar naamgenote.
'Ja hoor, met mij wel,' zei Aafke geruststellend. 'Met u ook?'
'Afgezien van wat pijn in mijn handen wanneer het vochtig weer is, mag ik niet mopperen,' zei oma. 'Dus dat doen we dan ook maar niet.'
Opa liep met de doos de kamer binnen en zette die met een lachje op tafel. 'Voor jou, Lobke,' zei hij.

Lobke keek verbaasd. 'Voor mij? Maar ik ben pas over zes weken jarig,' zei ze toen.
'Het is ook niet voor je verjaardag,' zei opa wat aangedaan. 'Het is voor... ach... zomaar, omdat ik van je houd.'
'Nou, ik houd ook veel van u. Maar dat weet u,' zei Lobke, en ze gaf haar opa weer een dikke knuffel. 'Wat zit erin?'
'Maak maar open,' zei opa. 'Dan zie je het vanzelf.'
Ze kwamen allemaal in een kring om Lobke staan, die nieuwsgierig de doos opende en er een in een doek gerold voorwerp uit haalde. Ze wikkelde voorzichtig de doek af, en bleef toen met open mond staan kijken. De tranen sprongen haar in de ogen.
'O, opa.' Meer kon ze even niet zeggen.
Ze waren er allemaal stil van.
Het beeldje was nog mooier geworden dan Hanneke zich herinnerde. Het was perfect van vorm, en zo glad als satijn. Haar vader had het op een sokkel gezet van donker hout, dat mooi afstak tegen het witte albast.
Steven was de eerste die de stilte doorbrak. 'Nou, pa, je hebt jezelf deze keer overtroffen. Wat is dat mooi.' Hij keek zijn schoonvader bewonderend aan.
'Mooi is het goede woord niet. Het is... het is... is dat echt voor mij?' vroeg Lobke.
Opa De Bont knikte. Hij genoot van de uitdrukking op Lobkes gezicht. 'Het is echt voor jou.'
Lobke streek met haar vinger over de armen van het beeldje. Ze volgde de uitgestrekte arm naar boven, naar de open hand. Daarna ging ze met haar vingers naar het ruwe stuk, waarin de voeten van het beeldje verborgen zaten. 'Ik denk dat ik begrijp wat u wilde uitbeelden,' zei ze toen zacht.
'Vertel eens,' zei opa.
'Dit ben ik. Die handen naar boven zijn een smeekbede aan God of ik weer beter mag worden. Daarom is die ene hand ook geopend. En dat de voeten ontbreken, betekent dat ik nog vastzit hier op aarde. Aan jullie, aan Roel, aan mijn school, aan al de dingen die ik hier op aarde nog wil doen.'
'Bijna helemaal goed,' zei opa schor. 'En die glimlach?'

'Ja, die heb ik wel gezien, maar die snap ik niet helemaal. Ik ben toch niet blij dat mij dat allemaal overkomt?'
'Die glimlach begrijp ik wel,' zei Aafke toen. 'Die glimlach staat voor het positieve dat je altijd uitstraalt, zelfs in deze moeilijke tijd. Klopt dat, opa?'
'Helemaal. Jullie zijn knap dat jullie dat er allemaal uit kunnen halen.' Opa was er ontroerd van.
'Maar we kennen u zo langzamerhand ook wel een beetje.' Lobke stak haar arm door die van opa, en drukte die tegen zich aan. 'Opa, ik vind het echt te wauw.'
'Nou hoop ik maar dat je daarmee bedoelt dat je het mooi vindt,' grapte oma. 'Ik begrijp de taal van tegenwoordig niet altijd. Soms hoor ik termen als 'vet' en 'koel' en 'onwijs', maar dat waren in onze tijd niet bepaald complimenten...'
'Te wauw betekent vet cool en onwijs gaaf, oma. U zou eens moeten leren msn'en of sms'en. Dan leert u die taal vanzelf,' zei Lobke lachend.
'Emmesennen of essemessen?' vroeg oma. 'Wat is dat nu weer voor geheimtaal?'
'Laat maar,' lachte Hanneke. 'Dat wil je niet weten, ma. Houden jullie het nou maar bij de telefoon. Ik vind het al heel wat dat jullie een mobieltje hebben.'
'Altijd makkelijk voor in de auto,' vond opa.
Lobke vertelde daarop aan opa en oma dat de moderne tijd toch ook zijn gemakken meebracht. Ze legde uit hoe de dag daarvoor het contact met Sanne tot stand gekomen was. 'Dat was echt supercool.'
'Wie wil er koffie?' vroeg Hanneke. 'Met een lekkere verse tompouce. Ze waren in de aanbieding bij de bakker.'
Ze gingen in de woonkamer zitten.
Aafke en Hanneke zorgden voor de koffie, terwijl oma de tompouces op gebakschoteltjes deed en uitdeelde.
Lobke hield het beeldje voorzichtig op haar schoot. Ze streek weer met haar vingers langs het glanzende albast. 'Kunt u mij zoiets ook leren, opa?' vroeg ze toen.
Opa keek haar verbaasd aan. 'Natuurlijk,' zei hij. 'Wil je dat?'

'Het lijkt me best leuk om te doen. En dan heb ik iets te doen wanneer ik thuiszit. Ik bedoel, de hele dag voor de televisie hangen verveelt gauw. Muziek luisteren kan ik ook terwijl ik met zoiets bezig ben. Ik kan niet altijd mijn aandacht bij het lezen houden. En Roel en mijn vriendinnen zitten overdag op school. Met hen kan ik alleen 's avonds msn'en.'
'Het geeft wel een hoop stof van het schuren,' aarzelde opa. Daarbij keek hij vragend naar Hanneke.
'In de schuur is weinig plek. En daar wordt het straks veel te koud,' zei die. 'Maar dan offer ik mijn naaikamertje wel op. Als ik een bruidstoilet moet vermaken, doe ik dat wel bij Els in de winkel.'
'Goed. Dan zal ik zorgen voor wat beitels en raspen, want die heb je nodig,' zei opa. 'En dan beginnen we wel met Braziliaanse speksteen. Dat is vrij zacht. Wanneer wil je beginnen?'
Lobke dacht even na. 'Ik voel me nu nog niet zo lekker. Zullen we even wachten totdat ik me weer wat beter voel, en dan daarna telefonisch een afspraak maken?'
'Prima,' zei haar opa. 'Dan wacht ik je telefoontje af.'

* * *

Lobke ging na de koffie weer 'even plat', zoals ze dat noemde. Aafke ging naar een vriendin, en Hanneke en Steven gingen met opa en oma De Bont een eindje wandelen.
Er scheen een waterig zonnetje. De bladeren aan de bomen gingen steeds meer kleuren. Het werd nu duidelijk herfst.
'Kunnen we even langs het tuincentrum lopen?' vroeg oma. 'Ik wil kijken of ze herfsttijloos verkopen.'
'Dat zijn toch die paarse bloemetjes die zo op krokussen lijken?' vroeg Hanneke.
'Ja. Nu we ouder worden, merk ik dat ik soms ga opzien tegen de winter, en dat ik dan steeds meer verlang naar het voorjaar. Herfsttijloos bloeit soms wel tot november. Als we nu herfsttijloos in de tuin zetten, herinneren die mij aan het voorjaar, en hebben we alleen maar de periode tussen november en februari

zonder bloemen. En vaak kun je in december en januari al bakjes krokussen voor binnen kopen. Dan is de tussenliggende periode nog korter.'
'Goed, dan gaan we hier linksaf. Dan komen we er vanzelf langs,' zei Steven.
Ze liepen stevig door. Bij het tuincentrum keken ze hun ogen uit. Wat een hoop soorten. Ze hadden zelfs diverse soorten herfsttijloos, niet alleen de bekende lichtpaarse, maar ook een witte en een donkerpaarse soort.
'Ze zijn prachtig, hè?' zei de verkoper. 'Wist u dat u de soort ook makkelijk binnen kunt kweken? Het zijn zogeheten droogbloeiers. Ze hebben geen water nodig. Zelfs geen grond, je hoeft ze alleen maar naast elkaar in een pot of bloembak te zetten, en dan komen ze tot bloei.'
'Wat een raar idee, dat daar zelfs geen grond voor nodig is,' vond Hanneke.
'Ja. Zelfs als je ze zomaar in de vensterbank legt, gaan ze al bloeien. Maar dan wel oppassen met kleine kinderen in de buurt, want zowel de knol als de bloemen zijn erg giftig.'
'Onze kleinkinderen zijn al groot,' vertelde oma. 'Maar bedankt voor de tip. Ik ben trouwens toch niet van plan ze in de vensterbank te leggen. Nee hoor, ik weet al een mooi plekje in de tuin.'
Oma kocht een aantal soorten. Ze was zichtbaar blij met haar aankoop.
Ook Hanneke kocht wat knollen. Ze zei het niet hardop, maar bedacht dat Lobke dan toch alvast wat van het voorjaar kon proeven, voor het geval dat ze dat niet meer zou meemaken. Ze verdrong de gedachte meteen weer.
Even later liepen ze terug naar huis.
Opa en Steven liepen een eindje voor de dames uit en waren in een druk gesprek gewikkeld.
Steven sprak nogmaals zijn bewondering uit voor het beeldje. 'Hoe doe je dat toch? Ik vind het zo knap, dat je dat kunt,' zei hij. 'Ik ben zelf niet zo creatief, nooit geweest. Vroeger, bij ons thuis, werd er wel op gehamerd dat ik mijn talenten moest ontwikkelen, maar creativiteit werd niet gezien als talent, maar als 'zonde

van de tijd'. Er moest gewerkt worden, brood op de plank. Ik herinner me dat mijn moeder weleens een cursus bloemschikken wilde doen, maar dat ze dat niet mocht van mijn vader. Hij vond dat weggegooid geld.'
'Mijn vader was ook wel een beetje zo,' vertelde opa, 'maar dat lag ook aan de tijd waarin ze leefden. Ik kon als kind al goed tekenen, maar moest van mijn vader een 'vak' leren. Kunstenaars verdienden zelfs geen droog brood volgens hem. Ik heb er nooit spijt van gehad dat ik zijn raad opgevolgd heb en elektricien ben geworden, maar ik vind het toch wel erg fijn dat die creatieve kant van mij nu de ruimte kan krijgen om zich te ontwikkelen. Ik geniet er met volle teugen van.'
'En wij mogen ervan meegenieten,' zei Steven.
Opa keek zijn schoonzoon aan. 'Hoe is het met jou? Kun je het een beetje aan allemaal?'
Steven haalde zijn schouders op. 'Ik zal wel moeten.'
'Dat klinkt zwaar,' zei opa.
'Dat is het ook.'
Even was het stil. Toen vroeg opa verder. 'Hoe doe je dat?'
'Wat?'
'Omgaan met een situatie waarin je ervaart dat je 'wel zult moeten'?'
Steven dacht na en zei toen: 'Verstand op nul en blik op oneindig. Leven bij de dag, en niet te veel nadenken over wat er allemaal kan gebeuren.'
Opa lachte even. 'Dat is ook een manier.'
Steven werd nieuwsgierig. 'Is er een andere manier dan?' vroeg hij, en hij keek zijn schoonvader gespannen aan.
'Wat denk je?' gaf opa terug.
Maar dat was niet het antwoord waarop Steven gehoopt had. 'Hoe zou jij het dan doen als je in mijn schoenen stond?'
'Dat is makkelijker gezegd dan gedaan, want ik sta niet in jouw schoenen,' vond opa.
'Probeer het je eens voor te stellen.'
Maar opa schudde zijn hoofd. 'Ik kan alleen voelen wat ik voel, als opa van Lobke en als vader van Hanneke en jou. Ik voel me

verdrietig wanneer ik eraan denk hoe ziek Lobke is, en wat een zware weg zij heeft te gaan. Mijn hart huilt wanneer ik denk aan jou en Hanneke, en aan wat jullie allemaal te verwerken krijgen als ouders. Maar ik voel ook vertrouwen: in de kracht van Lobke, en in jullie liefde voor elkaar. Wanneer ik jou hoor zeggen: 'Ik zal wel moeten', klinkt dat alsof je de weg die voor jullie ligt, alleen maar ziet als iets wat moeilijk en zwaar is.'
'Dat is het toch ook?' verdedigde Steven zich.
'Natuurlijk. Daar wil ik ook niets aan afdoen. Maar dan zie je dingen over het hoofd die nog belangrijker zijn in deze situatie, en die je juist nodig hebt om erdoorheen te komen.' Hij zweeg even. Toen zei hij: 'Je vroeg me net hoe ik dat deed, dat maken van zo'n beeldje. Wel, ik probeer de dingen die ik voel, vorm te geven in mijn beelden. En dan niet alleen de zware, moeilijke dingen, maar ook het positieve dat ik wil blijven zien. Zoals de kracht van Lobke en haar positieve levensinstelling. Zoals jullie onderlinge band en de liefde in jullie gezin. Heb je weleens gehoord van de uitdrukking 'Alles wat je aandacht geeft, groeit'?'
Steven schudde zijn hoofd. 'Nee.'
Opa ging verder. 'Dat is een zienswijze die ervan uitgaat dat iets, naarmate je er meer aandacht aan geeft, des te groter wordt. Dus als je alleen maar kijkt naar het zware en het moeilijke dat op je weg komt, wordt dat in jouw ogen steeds groter. Daarom is het belangrijk dat je ook kijkt naar wat er positief is, en dat je juist dat aandacht geeft. Dan krijgt dat positieve ook de kans om in jouw ogen groter en groter te worden. Begrijp je dat?'
Steven knikte bedachtzaam. 'Ik denk het wel.'
Opa ging verder. 'Mijn moeder zei vroeger altijd: 'Je krijgt kracht naar kruis', en ik denk dat ze daarmee precies hetzelfde bedoelde. Als je alleen maar kijkt naar het kruis dat op je weg komt, vergeet je te kijken naar de kracht die je gekregen hebt om dat kruis te dragen.'
Hij keek opzij. 'Wat is volgens jou jullie kracht?' vroeg hij toen.
Daar hoefde Steven niet eens zo lang over na te denken. 'Dat we een hecht gezin zijn,' zei hij. 'De wijsheid van Hanneke. Het positieve van Lobke. De humor van Aafke.'

'En jij?' vroeg opa nieuwsgierig. 'En Sanne?'
Steven keek naar de grond. 'Ik ben niet zo sterk op dit moment.' Toen klaarde zijn gezicht op. 'Maar ik begrijp nu ineens wat Sannes rol in dit geheel is.' Hij struikelde bijna over zijn woorden. 'We hadden pas een heel gesprek over zingeving en zo, en toen had ik het over Sanne, en dat ik me soms afvroeg wat de zin van haar leven was. Maar dat hoef ik me nu niet meer af te vragen. Juist door Sanne zijn we als gezin zo sterk geworden. Door haar ziekte hebben we geleerd met tegenslagen om te gaan en toch weer door te gaan. Misschien is juist daardoor Hanneke zo wijs geworden, en heeft Aafke daardoor haar gevoel voor humor ontwikkeld. En Lobke... als ik zie hoe Lobke en Sanne met elkaar omgaan. Die zijn twee handen op één buik.'
'En jij?' vroeg opa weer. 'Wat is jouw kracht?'
Steven haalde zijn schouders op. 'Geen idee,' zei hij wat mistroostig.
'Zal ik je helpen?' vroeg opa.
Steven keek zijn schoonvader aan. 'Nou?'
'Jij bent de rots in de branding voor mijn dochter. Altijd al geweest. Bij jou kan ze volkomen zichzelf zijn. Jij steunt haar onvoorwaardelijk, en mede door jou is zij wie zij is.'
Steven trok een gezicht toen hij terugdacht aan de eerste dagen van Lobkes ziekte. 'Nou, rots in de branding...'
Maar opa zei: 'Je moet niet al te streng voor jezelf zijn. Kijk maar naar het positieve. Weet je nog? Wat je aandacht geeft, groeit.' Hij sloeg zijn arm even om Steven heen. 'Sterkte, jongen.'
Steven keek hem ontroerd aan. 'Bedankt, pa.'
Ze wachtten even op de dames en haakten toen aan weerszijden in. 'Zo dames, lekker bijgekletst?' Ze wandelden gearmd naar huis.
Lobke was intussen uitgerust en naar beneden gekomen. Ze zat aan tafel met een grote legpuzzel voor zich.
'Hé, dat is lang geleden. Mag ik bij je komen zitten?' vroeg opa.
'Nou, vooruit, omdat u het bent. De meeste kantjes heb ik denk ik al, wilt u nog even zoeken of u er nog meer kunt vinden?'
Lobke had haar mouwen wat opgestroopt, zodat ze niet in de weg zaten bij het graaien in de doos met puzzelstukjes.

'Kind, wat heb jij nou?' schrok oma.
Lobke keek naar de blauwe plekken op haar polsen. 'O, Roel en ik hebben wat gestoeid,' zei ze luchtig. 'Ik voel er niet veel van, hoor, maar ik krijg nu bij het minste of geringste een blauwe plek.'
Oma leek niet gerustgesteld. 'Wees maar voorzichtig.'
Hanneke zocht een bakje voor de herfsttijloos, zette het in de vensterbank en ging daarna voor thee en koffie zorgen.
Aafke kwam weer thuis, en even later wipte Roel ook nog binnen.
'Blijf je eten?' vroeg Hanneke.
'Nee, dank u. Mijn vader en ik hebben elkaar weinig gezien van de week. Hij is een paar dagen naar Duitsland geweest voor zijn werk, en van maandag tot woensdag moet hij er weer heen. Dus gaan we vanavond met z'n tweetjes uitgebreid koken,' zei Roel.
'En hoe doe jij dat dan wanneer je alleen bent?' vroeg Hanneke.
'O, dan trek ik een blik soep open, of ik zet een diepvriespizza in de magnetron. Ik red me wel,' zei Roel.
'Heb je dan zin om hier dinsdag te komen eten? Wel zo gezellig voor jou.'
'Dat lijkt me leuk. Graag.'
'Maar dan wel een beetje voorzichtiger zijn met mijn kleindochter.' Opa strak bestraffend zijn vinger op naar Roel, maar zijn ogen lachten er wel bij.
'Beloofd.' Roel legde zijn hand op zijn hart en knikte naar opa. Hij was zelf ook geschrokken van de blauwe plekken.
Hanneke overzag de huiskamer. Lobke zat met opa, Aafke en Roel over de puzzel gebogen, Steven had een mooie cd van Trijntje Oosterhuis opgezet en zat daar nu met zichtbaar genoegen naar te luisteren, en oma had zich gebogen over het cryptogram uit de zaterdagkrant. Dwars door de kamer hing de slinger van alle kaarten die Lobke in de afgelopen dagen ontvangen had. Wat een vredig tafereel. Hanneke keek weer naar Lobke, die er met haar lachende gezicht op dit moment helemaal niet ernstig ziek uitzag. Ze wilde dit beeld van een lachende Lobke wel indrinken. Ze zuchtte even. Kon ze de tijd maar stilzetten. Konden ze dit maar vasthouden.

* * *

's Avonds lagen Steven en Hanneke in bed nog even na te praten. Steven lag op zijn rug, en Hanneke lag op haar zij in het vertrouwde holletje van zijn arm. Steven vertelde over zijn gesprek met zijn schoonvader.

'Wat een wijze man is het toch,' zei hij. 'Daarin lijk jij veel op hem.'

'Dank je wel voor het compliment,' zei Hanneke. Ze dacht even na en zei toen: 'Ik vind dat wel een mooi beeld, dat 'wat je aandacht geeft, groeit'. Weet je nog dat ik toen die verkeerde aandacht aan de strepen op de weg gaf? En dat ik daardoor niet op de weg zelf lette? Ik denk dat wij allebei in de afgelopen periode een beetje te veel op de strepen op onze weg gelet hebben, in plaats van aandacht te geven aan de weg zelf en aan onze medeweggebruikers. Ja, ik kan daar wel iets mee.' Ze gaf hem een kus op zijn wang.

'Laat ik dan maar eens beginnen met jou wat extra aandacht te geven,' fluisterde Steven in haar oor. Hij sloeg zijn beide armen om haar heen, trok haar naar zich toe en zocht haar mond.

Hanneke beantwoordde zijn lange en gretige kus, waarna ze volkomen opgingen in hun aandacht voor elkaar.

12

LOBKE LEGDE HET BOEK WEG WAARIN ZE HAD LIGGEN LEZEN, EN wilde net haar bedlampje uitknippen, toen ze op het bijzettafeltje naast haar bed het beeldje van opa zag staan. Een brede glimlach vormde zich rondom haar mond. Die opa. Wat had hij haar verrast. Ze keek naar het beeldje en dacht weer na over de betekenis die zij er zelf aan gegeven had. Het reiken naar het hogere en tegelijkertijd met beide benen vastzitten aan wat haar op aarde hield. Ze lachte nog eens naar het beeldje en knipte het bedlampje uit. Daarna kroop ze lekker weg onder haar dekbed.

* * *

Ze bevond zich halverwege een gigantische klimmuur. Rechts van haar bevonden zich op gelijke hoogte Roel en Joyce. Ze klemde zich stevig vast aan de gekleurde uitsteeksels van de muur. Ze kreeg kramp in haar vingers en duwde zich instinctmatig tegen de muur aan. Even uitrusten. Roel en Joyce klommen door. 'Wacht even op mij,' wilde ze roepen. Maar er kwam geen geluid uit haar keel. Ze hijgde van inspanning. Even sloot ze haar ogen. Kalm blijven, maande ze zichzelf. Rustig ademhalen. Niet naar beneden kijken. Adem in, adem uit, een, twee, een, twee. Plotseling veranderde de klimmuur voor haar ogen in een echte steile bergwand. Ze voelde de steenkoude rots tegen haar wang. Wat gebeurde er toch allemaal? Roel en Joyce waren uit haar gezichtsveld verdwenen. Ze voelde zich ongelooflijk alleen. Toen hoorde ze een geluid links van haar. Ze keek opzij. 'Anneke?' Anneke was haar klasgenote geweest. Twee jaar geleden was ze bij het naar huis fietsen op een rotonde geschept door een vrachtwagen, die haar totaal niet gezien had. Ze had nog drie dagen in coma gelegen, en was daarna overleden.

'Anneke? Jij bent toch dood?'

'Doe niet zo raar. Ik ben hier. Dat zie je toch,' antwoordde Anneke.

Zij leek geen moeite te hebben met de bergwand. Anneke strekte haar hand uit naar een rand boven haar, en in een mum van tijd was ook zij verdwenen.
Ze voelde een vlaag van paniek door de eenzaamheid die haar overviel, en drukte zich weer tegen de koude rotswand aan, alsof ze daar troost en nabijheid wilde vinden. 'Laat me nou niet alleen,' riep ze. Haar stem echode tegen de rotsen om haar heen. Niemand leek haar te horen. Ze hoorde in de verte het kenmerkende piepen van roofvogels. Het leek dichterbij te komen. Toen begon het te regenen. Ze voelde de rots onder haar vingers glibberig worden. Ze keek om zich heen, op zoek naar een plek om te schuilen. Daar, een nis in de rotswand. Hij leek groot genoeg om haar te bevatten. Maar hoe kwam ze daar? Ze was zo moe, zo moe... Haar armen leken als lood, en het gevoel in haar benen was al een poos verdwenen. Het enige wat ze nog voelde, was de koude, natte rotswand tegen haar wang. De nis lonkte uitnodigend: kom maar; hier is het veilig. Ze klemde haar linkerhand vast op de scherpe rots. Haar rechterhand liet zijn houvast los en strekte zich uit naar een verder liggend uitsteeksel. Ze staarde naar haar arm. Die veranderde langzaam in wit albast. Toen voelde ze zich wegglijden. Ze kreeg een hol gevoel in haar buik. Haar handen maakten graaiende bewegingen, in de hoop nog ergens houvast te vinden. Niets. Ze viel en viel en viel en viel...

Kletsnat van het zweet schrok Lobke wakker. Haar hart ging als een razende tekeer. Ze keek verdwaasd om zich heen, maar hoorde toen het rustige tikken van de regen tegen de ruiten. Ze slaakte een diepe zucht. Hè, wat een akelige droom. Ze draaide zich op haar andere zij en probeerde de slaap weer te vatten. Het beeld van Anneke en de rotswand bleef echter door haar hoofd spoken. Ze knipte haar bedlampje aan. De vertrouwde inrichting van haar kamertje hielp haar terug te komen in de werkelijkheid. Het beeldje stond stevig verankerd op het bijzettafeltje. Ze pakte haar boek in een poging wat afleiding te vinden in het lezen, maar de letters dansten voor haar ogen. Dus legde ze het boek weer weg. Ze keek op haar wekkerradio. Halfvier. Het hele huis was nog in

diepe rust. Op straat was af en toe een voorbijrijdende vrachtwagen te horen. Verder was het ook buiten stil.
Het zware kloppen van haar hart had plaatsgemaakt voor een wat rustiger ritme. Ze liet het bedlampje branden, in de hoop daarmee de droom op een afstand te houden. Maar inslapen lukte niet meer. Het bange gevoel bleef hangen. Anneke. Ineens zag ze weer Annekes gezicht naast haar. Het was al lang geleden dat ze voor het laatst aan Anneke gedacht had. Anneke was niet echt een vriendin van haar geweest, maar ze was destijds toch enorm geschrokken van haar plotselinge dood. Dat oude mensen doodgingen, hoorde min of meer bij het leven. Maar jonge mensen? Ze waren met de hele klas naar de begrafenis geweest. Met de armen om elkaar heen hadden ze om het graf gestaan. Annekes ouders en broer en zus hadden tijdens de afscheidsdienst die aan de begrafenis voorafging, herinneringen opgehaald. Dat had ze wel mooi gevonden.
Wat zouden ze over mij zeggen wanneer ik dood ben? schoot het plotseling door haar heen. Die gedachte bracht een nieuwe angstgolf over haar heen. Ze sloeg haar dekbed opzij en ging rechtop zitten. Even bleef ze besluiteloos zitten. Toen stapte ze in haar sloffen en liep naar de slaapkamer van haar ouders.
Van het zachte gesnurk van haar vader, dat al op de overloop hoorbaar was, ging iets geruststellends uit. Ze deed zacht de deur open en sloop naar de raamkant van het bed, waar haar moeder lag. Ze hurkte bij het bed en raakte zacht de hand van haar moeder aan. 'Mam?'
Hanneke schrok wakker en zag toen in het flauwe licht van de buitenlantaarn Lobkes gezicht naast zich. 'Lobke, wat is er?'
'Ik heb zo akelig gedroomd,' was het bibberende antwoord.
Hanneke schoof naar het midden van het bed en sloeg haar dekbed uitnodigend open. 'Kom maar even bij me liggen. Anders word je zo koud.'
Lobke kroop naast Hanneke. 'Hè, fijn, net als vroeger.'
Steven werd wakker. 'Wat is er?' vroeg hij gapend.
'Lobke heeft gedroomd. Ze is nu hier. Ga maar weer slapen,' antwoordde Hanneke.

Steven stapte uit bed. 'Dan ga ik wel even op Lobkes bed liggen. Het wordt hier wat krap,' zei hij.
'Bedankt, pap. Je bent een schat,' verzuchtte Lobke.
'Weet ik,' bromde Steven. 'Dat zegt je moeder ook altijd.' Hij verdween naar Lobkes kamer.
'Wil je me vertellen wat je gedroomd hebt?' vroeg Hanneke. Ze sloeg haar arm om Lobke heen.
In de vertrouwde warme nabijheid van haar moeder vertelde Lobke haar droom.
Hanneke schrok toen de naam van Anneke in de droom opdook, maar ze probeerde dat niet aan Lobke te laten merken.
'En toen merkte ik dat ik weggleed, en toen viel ik steeds dieper, en toen werd ik gelukkig wakker,' besloot Lobke haar verhaal. 'Het was zo akelig, mam.'
'Dat kan ik me voorstellen,' antwoordde Hanneke. Ze wist niet wat ze verder moest zeggen. Het was even stil.
'Ik kon niet meer slapen en moest er ineens aan denken hoe het zou zijn wanneer ik dood was, en wat jullie dan over me zouden zeggen bij mijn begrafenis,' ging Lobke toen verder.
Hanneke drukte Lobke even tegen zich aan. 'Niet zulke nare dingen zeggen,' zei ze toen.
'Ja, maar het kan toch, dat ik doodga?' zei Lobke. 'Het kan toch?'
'Dat kan, maar daar gaan we niet van uit,' zei Hanneke ferm. 'Dokter Evers heeft gezegd dat mensen met leukemie tegenwoordig veel meer overlevingskansen hebben.'
'Dat is wel zo, maar er is toch altijd een percentage mensen die eraan overlijden. Omdat de ziekte al te ver gevorderd is, of omdat de behandeling niet aanslaat,' zei Lobke. 'Roel heeft van alles op internet opgezocht, en we hebben het er weleens over gehad dat dat zou kunnen gebeuren. Maar toen leek dat nog heel ver weg,' besloot ze kleintjes.
'En nu?' vroeg Hanneke. 'Heeft die droom daar nu verandering in gebracht?'
'Ik denk het wel. Doordat ik aan Anneke herinnerd werd.'
Het was weer even stil.
Ze lagen dicht naast elkaar, ieder met haar eigen gedachten.

'Stel nu dat ik toch dood zou gaan,' ging Lobke verder. 'Daar gaan we niet van uit, maar stel... Wat voor dingen wil jij je dan vooral herinneren van mij?'
Hanneke gaf de vraag terug. 'Hoe zou jij herinnerd willen worden?'
Lobke dacht diep na. 'Moeilijke vraag, mam.'
'Probeer maar.'
'Ja. Kweetnie. Dat ik iemand was om van te houden of zo.' Ze begon zacht te huilen. 'Ik zou nog zo veel dingen willen doen, mam. Ik heb me zo verheugd op mijn studententijd, op kamers wonen, een keigoede fysiotherapeute worden, mijn rijbewijs halen en zelf een autootje hebben, een eigen huis, trouwen, kinderen...' Ze stokte.
Hannekes hart schoot vol. Dergelijke dingen hadden een poosje terug nog min of meer vanzelfsprekend geleken. Haar gedachten gingen even naar Sanne. Bij Sanne had ze al geleerd met de dag te leven, had ze haar illusies al ingeleverd en hield ze rekening met de mogelijkheid dat Sanne niet oud zou worden door haar specifieke epilepsie. Door Sanne hebben wij eigenlijk al geleerd om te gaan met onverwachte situaties, schoot het door haar heen. Ze dacht aan wat Steven verteld had over het gesprek met haar vader, en over zijn vernieuwde kijk op het leven van Sanne. Toen was haar aandacht weer bij Lobke. 'Ik zou ook zo graag willen dat het anders was, meisje,' zei ze zacht. 'En je vader ook. Maar niemand kan in de toekomst kijken. We kunnen alleen maar hopen en bidden dat je beter wordt.'
Weer was het even stil.
Toen schoot Lobke een ander detail van de droom te binnen. 'Weet je, mam, toen ik reikte naar die nis – waar ik veilig zou zijn, dat wist ik zeker –, veranderde mijn arm ineens in wit albast, zoals dat beeldje van opa. Zou dat iets betekenen?'
Hanneke dacht even na. Toen zei ze eerlijk: 'Opa had daarmee twee verschillende dingen uitgebeeld, heeft hij me uitgelegd. Jij hebt er zelf al uitgehaald dat die uitgestoken hand betekende dat je hoopte dat God je je gezonde leven zou teruggeven. Maar opa had er een dubbele bedoeling mee. Die uitgestoken had, met de

opening naar boven, beeldde niet alleen een ontvangende hand uit, maar kon ook een gevende hand voorstellen. Opa bedoelde ermee dat een andere mogelijkheid was dat je het leven dat je van God gekregen hebt, ook weer zou moeten inleveren. Dat moeten we allemaal een keer. De vraag is dan alleen wat we met dat leven gedaan hebben.'
'Hoe doe jij dat, mam? Ben jij niet bang om dood te gaan?' vroeg Lobke.
'Tuurlijk. De dood heet niet voor niets 'de laatste vijand'. Het gebeurt maar zelden dat mensen blij zijn met de dood,' zei Hanneke. 'Ik weet nog dat ik als de dood was voor de dood' – ze moest onwillekeurig lachen om de woordspeling – 'toen jullie alle drie nog klein waren. Ik ben een jaar na jouw geboorte een tijdje overspannen geweest. Ze waren net weer begonnen met een nieuwe behandelmethode met weer andere medicatie bij Sanne, maar die sloeg helemaal niet aan. Sanne is toen een tijdje opgenomen geweest in het ziekenhuis. Ik sliep heel slecht in die tijd, voelde me een waardeloze moeder en liep maar te piekeren. Ik hield vriendinnen af en kwam nauwelijks meer buiten. Wanneer er iemand belde en vroeg hoe het met me ging, zei ik altijd: 'Goed, hoor', en dan hing ik snel op met de mededeling dat ik het druk had. Ik wist zelf niet eens wat er met me aan de hand was. Hoe moest ik dat dan uitleggen aan anderen? Pappa liet me maar met rust. Die wist ook niet wat hij met me aan moest. En Aafke zat meestal bij een vriendinnetje. Die had niks aan een moeder die maar liep te huilen en te piekeren. Jij was eigenlijk de enige die me op de been hield. Jij had nog geen benul van een moeder die het liefst alleen met haar gedachten wilde zijn. Jij wilde op mijn schoot zitten, knuffelen, liedjes zingen. En omdat ik diep vanbinnen wel besefte dat jij het niet zou snappen als ik je wegduwde, liet ik toe dat je op mijn schoot klom, en wist ik toch ergens de energie vandaan te halen om die liedjes met jou te zingen. Daarbij ging er zo veel troost uit van jouw warme knuffellijfje dat juist jij mijn 'dynamo' weer op gang hebt gebracht.' Ze was even stil en dacht terug aan die tijd.
Lobke had ademloos geluisterd. 'Waarom heb je me dat nooit eerder verteld?'

'Ik was er niet trots op dat ik mijn gezin zo'n tijd verwaarloosd had,' zei Hanneke. 'Op een gegeven moment heeft pappa me naar de huisarts gestuurd. Die zorgde ervoor dat ik tijdelijk antidepressiva kreeg, en we hebben toen een tijdje gezinshulp gehad. Dat was een gouden meid. Zij liet me maar praten, luisterde naar me, stelde vragen. Daardoor ontdekte ik dat ik een heleboel vragen altijd weggestopt had, over God, en over de zin van het leven en dus ook over doodgaan. Ik heb mezelf toen gedwongen bewust over de dood na te denken. Ik heb boeken gelezen van Elisabeth Kübler-Ross, destijds een bekende psychiater, die een aantal boeken over doodgaan en rouwverwerking geschreven heeft. Dat was geen makkelijke tijd. Ik heb me een poosje gevoeld alsof ik langs de rand van een afgrond liep, en dat er maar weinig hoefde te gebeuren of ik stortte naar beneden. Maar ik ben er wel sterker uit gekomen. En sindsdien leef ik veel bewuster, in de wetenschap dat dat leven eens voorbij is.'

'En ben je dan niet meer bang?' vroeg Lobke nieuwsgierig.

'Nou, ik heb geleerd de dood te accepteren als een onvermijdelijk iets. De vraag wat leven eigenlijk is, werd daarna veel interessanter. Ik bedoel: wat na de dood komt, weet niemand. Daar zijn allerlei antwoorden op, van allerlei religies. Maar wat ik hier met mijn leven doe, daar kan ik wel antwoord op geven. Kijk, sommige dingen overkomen je, zoals bij jou die stomme leukemie. Daar kun je niks aan doen. Maar op de manier waarop je daarmee omgaat, kun je wel invloed uitoefenen. Kijk maar naar jou: je gaat niet in een hoekje zitten mokken, en je zegt niet: 'Waarom ik? Wat ben ik toch zielig', maar je zet je schouders eronder en je gaat ervoor. Ik heb daar heel veel bewondering voor. Dat is levenskunst.'

'Maar die arm dan in mijn droom, die veranderde in albast? Zou dat dan betekenen dat ik doodga?'

'Ik heb geen idee,' zei Hanneke. 'Dokter Evers heeft uitgelegd dat chemokuren toedienen min of meer neerkomt op 'langs het randje van de afgrond lopen', omdat die toch gericht zijn op het doden van levende cellen. Misschien gaf dat wel dat beeld van die veranderende arm. Maar het kan ook betekenen dat je op zoek

moet naar wat die veilige nis voor jou is. Of dat je gaat nadenken over de vraag waar je je hand nu naar uitstrekt, net als dat beeldje van opa. Opa noemde dat 'het hogere'.'
'God dus,' stelde Lobke vast.
'Wij noemen Hem God, maar mensen uit andere religies noemen Hem misschien anders. Ik heb eens ergens gelezen: 'God heeft geen kleinkinderen, alleen maar kinderen.' Dat betekende dat je alleen maar zelf een relatie met God kunt aangaan, en dat je je er dus niet op kunt beroepen dat je ouders gelovig zijn en dat het dan met jou wel goed komt.'
'En Jezus?' vroeg Lobke.
'Dat heb ik me in die moeilijke tijd ook afgevraagd. Kijk, dat er een God is die deze wereld geschapen heeft, stond voor mij zo vast als een huis. Ik hoef maar een zwangere vrouw te zien om weer even stil te staan bij het wonder van nieuw leven. Maar Jezus? Ik had wel geleerd dat Hij de Zoon van God was, onze zaligmaker en verlosser, maar dat bleven altijd wat vage termen, die niet echt tot me doordrongen. Totdat ik besefte dat Hij die ene mens is naar wie we allemaal op zoek zijn. Die tegen je zegt: 'Ik houd van je, wat je ook doet. Leef maar, en durf daarbij fouten te maken, maar leer daarvan. Ik ben voor jou aan het kruis gestorven en heb daarmee de straf voor jouw zonden gedragen, ook voor alle zonden die je in de toekomst nog zult doen. Mijn kruisdood is een teken van mijn liefde voor jou.' En daaruit leef ik nu,' besloot Hanneke haar verhaal.
Lobke knuffelde haar moeder even. 'Je hebt me een hoop gegeven om over na te denken. Bedankt, mam. Mag ik daar nog eens op terugkomen met je?' Ze gaapte. 'Misschien kan ik dan nu nog even slapen. Ik ben nu weer rustig.'
Hanneke glimlachte in het donker. 'Probeer jij nog maar even te slapen. Welterusten, mijn kind.'
Lobke viel al snel in slaap, maar Hanneke lag nog lang wakker.

13

Na een paar dagen was de misselijkheid van Lobke gezakt. Ze kreeg ook weer wat energie. Wel had ze last van een vervelende koortslip. Hanneke belde daarover naar dokter Evers, en die adviseerde langs te komen.

'Eigenlijk kan dat niet, met de hoeveelheid antivirale middelen die je al krijgt, maar we zullen voor de zekerheid die hoeveelheid nog wat ophogen. Hoe gaat het verder met je?' vroeg hij toen ze tegenover hem zaten.

'Nou, ik mag niet mopperen,' zei Lobke. 'Ik ben alleen, vooral vorige week, geregeld erg misselijk geweest. En verder ben ik wel moe, maar ik weet niet of dat van die chemokuur of van de leukemie komt, of dat het een bijwerking van al die medicijnen is.'

'Luister maar naar je lijf. Dat geeft zelf wel aan wanneer je je rust moet nemen,' was het advies van de arts.

'Is de uitslag al binnen van het bloed van Aafke?' vroeg Hanneke.

De arts zocht op zijn bureau tussen de papieren. 'Nee, nu u het zegt. Ik zal er eens achteraan gaan. Soms duurt dat om een of andere duistere reden wat langer dan twee weken,' legde hij uit. 'Maakt u anders maar een afspraak voor volgende week woensdag. Dan heb ik de uitslag zeker al binnen en kan ik meteen kijken hoe het met de lip is.'

Ze namen afscheid van de arts, maakten bij de balie een nieuwe afspraak en liepen naar de uitgang. Omdat het nogal onaangenaam weer was buiten, bleef Lobke in de hal wachten totdat Hanneke de auto gehaald had. Daarna reden ze eerst bij de apotheek langs.

'Heb je nog ergens zin in?' vroeg Hanneke toen ze in de auto zaten op weg naar huis.

'Ik zou Sanne zo graag weer eens willen knuffelen, maar ik heb geen zin om me met die koortslip op De Roos te vertonen,' zei Lobke.

'Zullen we anders naar opa en oma rijden?' vroeg Hanneke. 'Dan ben je er toch even uit.'

'Dat is goed. Dan zal ik eerst eens bellen of ze thuis zijn.' Lobke pakte haar mobieltje en toetste het nummer in.
Opa nam op.
'Hoi, opi, zijn omi en u thuis? We komen net uit het ziekenhuis en willen even langskomen. Kan dat?'
Opa reageerde enthousiast. Oma was net een boodschap doen, maar ze zou zo terugkomen. Opa verheugde zich op hun komst en zou alvast koffiezetten.
Ze reden op hun gemakje naar Abcoude.
Lobke keek genietend om zich heen. 'Mooi, al die herfstkleuren. Als ik nu op de fiets gezeten had, had ik daar vast geen oog voor gehad.'
Hanneke keek opzij. 'Mis je school?'
Lobke zuchtte. 'Nooit gedacht dat ik weleens zou kunnen verlangen naar de werkstukken van de Terminator... Of niet naar die werkstukken zelf, maar naar de tijd waarin ik daarop kon mopperen, omdat ik toen gezond was. En ik mis de klas, het gezellige geklets in de pauzes, de saamhorigheid. Als ik volgend schooljaar eindexamen doe' – ze slikte – 'zal dat toch anders zijn, want die klas ken ik dan niet.'
Hanneke wist even niets te zeggen.
Stil reden ze verder. Toen ze bij het huis van opa en oma arriveerden, kwam oma net terug van de winkel.
'Dat is een leuke verrassing,' zei ze. Ze knuffelde haar dochter en kleindochter hartelijk.
Opa verscheen in de deuropening. Hij lachte breed. 'Welkom, welkom, schone dames. Treedt u binnen.'
'Nou, schone dames,' mompelde Lobke. 'Ik zie er niet uit met die lip.'
'Daar kijken wij wel doorheen,' vond opa. 'Dag, lieverd. Fijn je hier te zien.' Hij hielp hen galant uit hun jas. 'Koffie?'
'Lekker,' zei Hanneke.
Lobke had liever iets fris.
Na de koffie zei opa tegen Lobke: 'Ga je met me mee naar de schuur? Dan kun je meteen een stuk speksteen uitzoeken.'
Samen liepen ze naar de schuur.

Daar liet opa Lobke een aantal stukken steen zien. 'De vorm bepaalt voor een groot gedeelte hoe je beeld wordt,' legde opa uit. Hij stalde de stenen uit op de werkbank. 'Loop er maar eens omheen, en kijk maar welke steen je het meest aanspreekt.'
Lobke liep keurend langs de stenen, en liet toen haar oog vallen op een ovale groene steen. 'Deze vind ik het mooist.'
'Een goede keuze,' vond opa. 'Zie je wat een mooie tekening er op diverse plaatsen te zien is? Daar kun je gebruik van maken bij het zoeken naar de uiteindelijke vorm. Weet je wat? Ik zal de steen voor je inpakken. Dan kun je hem alvast meenemen naar huis. Zet hem maar op je kamer, kijk er af en toe eens naar en let dan op wat er in je opkomt. Laat je als het ware inspireren door de steen zelf. En zal ik dan volgende week een keer langskomen om te beginnen met de eerste les?'
'Hartstikke fijn, opa. Ik kijk ernaar uit.'
'Ik heb ook nog wel een leuk boek voor je. Daar kun je misschien wat ideeën uit halen.'
Ze liepen terug naar de woonkamer.
Oma en Hanneke bewonderden de steen.
'Kun je dan dinsdag of donderdag komen, pa?' vroeg Hanneke. 'Dan werk ik in de winkel, en dan zit Lobke de hele dag alleen.'
'Goed, dan wordt het dinsdag.'
'Maar dan zit oma de hele dag alleen,' zei Lobke.
'En dat vindt oma helemaal niet erg,' zei oma meteen. 'Wij zitten al hele dagen op elkaars lip.'
'Nou, liever opa een hele dag op mijn lip dan die koortsblaar,' grapte Lobke.
Iedereen lachte, en opa gaf Lobke een knuffel.
'Blijven jullie eten?' vroeg oma.
Hanneke keek naar Lobke. 'Nog niet moe?'
'Nee hoor, het gaat best. Gezellig, oma.' Lobke stak haar arm door die van opa. 'Dan kan ik mijn favoriete opi nog een beetje op zijn lip zitten.'
Terwijl oma en Hanneke de tafel dekten, bekeken opa en Lobke het boek waarin diverse beeldhouwtechnieken en wat voorbeelden stonden.

Na de lunch gingen ze weer op huis aan.
'Hè, dat heeft me goedgedaan.' Lobke leunde voldaan achterover. 'Ik heb nu al zin in dinsdag.'
Hanneke voelde zich opgelucht. Toen Lobke die koortslip kreeg, had ze zich ongerust gemaakt, maar dat leek nu loos alarm.

* * *

Lobke bleef nog een dag of twee last houden van de koortsblaar, maar daarna slonk hij snel.
'Hè, fijn, straks zie ik Sanne weer,' verzuchtte Lobke.
Ze zat samen met Hanneke in de keuken.
Lobke pikte een van de worteltjes die Hanneke aan het schrappen was, en beet er een stuk af. 'Gelukkig kan ik weer eten zonder dat mijn mond zeer doet.'
'Ik denk dat Sanne het ook fijn vindt jou weer te zien,' zei Hanneke. 'Ik begreep van Tim dat ze al een paar keer naar de Nijntje-computer gestapt was en geroepen had: 'Lobke! Lobke!' Dat van die webcam was toen een goed idee van hem.'
'Dat wel, maar het blijft toch leuker iemand in levenden lijve te zien,' vond Lobke. 'Ivo, de vriend van Joyce, doet dit jaar mee aan een uitwisselingsprogramma met een *high school* in Puerto Rico, en ze bellen en mailen en msn'en veel, maar Joyce kan niet wachten totdat hij weer terug is.'
'Wel goed voor je relatie, zo'n afstand. Dan kun je meteen zien of het goed zit,' zei Hanneke.
Ze hoorden buiten getoeter.
'Daar zijn ze,' riep Lobke, en ze liep snel naar de voordeur, die ze wijd openzwaaide.
Ze wachtte even totdat Steven haar zusje uit de auto geholpen had, en spreidde toen haar armen wijd. 'Ha, Sanne.'
'Lobke! Lobke!' Sanne rende bijna en liet zich vervolgens in de armen van Lobke vallen.
De meisjes klemden zich aan elkaar vast en knuffelden elkaar.
Steven en Hanneke stonden er lachend naar te kijken.
Hanneke pinkte even een traan weg.

'Nou, blijven jullie hier vandaag staan?' vroeg Steven toen. 'Mag ik er dan langs?'
Lobke hielp Sanne uit haar jas.
Hanneke hing hem aan de kapstok.
Daarna liepen ze samen naar de woonkamer. Sanne keek verwonderd omhoog naar de slinger met wenskaarten, die nog iedere dag langer werd. Ze wees ernaar. 'Mooi!'
'Ja, mooi hè? Allemaal voor je zusje, maar ook een beetje voor jou, omdat ik zo blij ben dat je er weer bent,' zei Lobke.
Sanne keek naar Lobke en zei met een verzaligde glimlach: 'Zusje!'
En weer knuffelden ze elkaar.
'Krijgt mamma ook een kus?' bedelde Hanneke.
Sanne liet Lobke los en stapte naar Hanneke. 'Mamma kus!'
Ook Hanneke kreeg een dikke knuffel.
Daarna liep Sanne naar haar eigen vertrouwde hoekje en ze liet zich daar met een zucht op de grond zakken. 'Thuis!' Ze pakte de Nijntje-computer en was al snel in haar spel verdiept.
'Of ze nooit weggeweest is,' zei Steven.
'Er lag zeker een hoop was?' vroeg Hanneke.
'Dat valt wel mee. Ze hebben de afgelopen weken zelf de was van Sanne gedaan. Ze dachten dat wij wel genoeg aan ons hoofd hadden.'
'Dat is lief. Straks maar even een bloemetje voor hen halen om morgen mee te nemen wanneer we Sanne gaan terugbrengen.'
De middag verliep rustig. Aan het eind van de middag kwam Aafke ook nog langs, en ze bleef gezellig eten.
'Heerlijk, al mijn vrouwen weer om me heen,' verzuchtte Steven aan tafel.
Hanneke keek haar kringetje rond. Ze genoot als altijd van de harmonie in haar gezin, die ze ondanks alle tegenslagen rondom Sanne en nu rondom Lobke had gevoeld. Dat gaf haar vertrouwen. Samen waren ze sterk.

* * *

’s Avonds wipte Joyce nog even aan. Met Ivo in het buitenland en Lobke niet meer op school voelde ze zich wat alleen. Ze wist ook dat Roel met zijn vader het weekend naar Rotterdam was, naar zijn tante, en dat die dus niet bij Lobke was. ‘En dan zie ik Sanne ook weer eens,’ zei ze.
‘Gezellig,’ vond Lobke. Ze had haar vriendin al een tijd niet gezien.
Na de koffie en thee ging Aafke weer naar haar eigen huis.
Terwijl Hanneke Sanne naar bed bracht, liep Lobke met Joyce naar haar slaapkamer. Lobke ging op bed liggen, en Joyce ging op het voeteneind bij haar op bed zitten in kleermakerszit. Ze pakte een van de knuffels die Lobke op haar bed had liggen, een roze olifant. Ze gooide hem in de lucht, ving hem op, gooide hem weer in de lucht, ving hem weer op. Dat ging een tijdje zo door.
Lobke keek naar haar vriendin. ‘Is er iets?’
Joyce gooide de olifant weer in de lucht en ving hem weer op. Toen keek ze Lobke aan en zei schor: ‘Ik mis Ivo.’ Ze ging weer door met gooien.
‘Logisch,’ vond Lobke. ‘Hoe gaat het nu met hem?’
‘Ik denk goed. Er schijnt een soort regenwoud te zijn in het noorden van Puerto Rico, en daar is hij met zijn klas twee weken naartoe. Ze zitten daar *in the middle of nowhere*. Dus ik heb hem al een week niet op msn gehad. Als het meezit, komt hij volgende week zaterdag terug bij zijn gastgezin. Dan kan ik hem weer bellen. Bah, niks aan dat hij zo ver weg is.’
Ze gooide de olifant weer in de lucht.
Lobke schoot overeind en plukte de olifant uit de lucht voordat Joyce hem kon opvangen. ‘Dat arme beest kan er niks aan doen dat jij baalt.’ Ze pakte een balletje van haar nachtkastje. ‘Hier, daar heb je een stressballetje. Knijp daar maar in.’
Ze lachten naar elkaar.
Toen keek Joyce Lobke ernstig aan. ‘Ik wilde even tegen je zeggen dat ik blij ben dat jij mijn vriendin bent,’ zei ze toen.
Lobke keek haar verbaasd aan. ‘*Likewise*,’ zei ze. ‘Hoe kom je daar zo ineens bij?’
Joyce was even stil en aarzelde of ze verder zou gaan.
‘Nou?’ vroeg Lobke.

Joyce keek haar aan. 'Ik moet er niet aan denken jou te moeten missen,' zei ze toen, en ze barstte in snikken uit.
Lobke kroop meteen naar haar toe en sloeg een arm om haar heen. 'Hé, ik ben nog niet dood, hoor.' Ze wreef met haar hand over de rug van Joyce heen en weer.
Joyce keek haar met betraande ogen aan. 'Mooie vriendin ben ik,' zei ze schamper lachend. 'Jij bent ziek, en nu zit jij mij te troosten in plaats van andersom.'
Lobke lachte. 'Fijn dat ik dat nog kan doen. Het is voor jou toch ook niet makkelijk, nu Ivo weg is?'
Ze zaten een tijdje stil naast elkaar. Toen vroeg Joyce: 'Je lijkt er zo rustig onder. Ben je dan helemaal niet bang, ik bedoel... om... om dood te gaan?'
Lobke haalde haar schouders op. 'Natuurlijk ben ik af en toe wel bang.' Ze vertelde van haar droom. 'Maar ik probeer de moed erin te houden, en over het algemeen lukt me dat aardig. Hoop doet leven, zeggen ze toch? En ik vind veel steun bij Roel, en bij mijn ouders en Aafke en Sanne. En bij mijn opa en oma.' Ze wipte van het bed af. 'Heb je m'n laatste aanwinst al gezien?' Ze pakte van het bijzettafeltje het albasten beeldje en gaf het aan Joyce. 'Van mijn opa. Gaaf, hè?'
Joyce keek bewonderend naar het beeldje en gleed voorzichtig met haar vingers langs het satijnzachte oppervlak. 'Wauw, dit is echt prachtig.'
'Opa gaat mij ook leren beeldhouwen. Ik heb hiernaast al een stuk steen staan. Ga je mee even kijken? Wel zachtjes doen voor Sanne, hoor.'
Ze liepen op hun tenen naar het kleine kamertje.
Daar liet Lobke het stuk speksteen zien. 'Ik ben er nog niet helemaal uit wat ik ga maken, maar dat komt wel. Het lijkt me gewoon al leuk om te doen. Lekker rustgevend.'
'Leuk, hoor,' vond Joyce. 'Ik ben benieuwd hoe het uiteindelijk wordt. Mooie steen, zeg, met die lijnen.'
'Ja, die wil ik zo veel mogelijk intact houden. Wanneer het klaar is, mag je het weer zien.'
Ze liepen het kamertje weer uit.

Lobke sloot zacht de deur en zei: 'Ga je mee, nog even naar beneden, iets drinken?'
'Kun je niet zien dat ik gehuild heb?' vroeg Joyce.
'Je ziet er prachtig uit met die doorgelopen mascara,' lachte Lobke. 'Maar goed dat Ivo je zo niet ziet... Loop maar meteen door naar de badkamer. Je weet de weg. Dan zie ik je zo beneden.'
Even later zaten ze bij Hanneke en Steven in de gezellige zithoek. Hanneke had wat stukjes kaas en worst op een bordje gedaan en ging daarmee rond.
Joyce weigerde. 'Nee, dank u. Anders pas ik straks niet meer in mijn broeken.'
'Dan pak ik jouw stukje er wel bij,' grapte Lobke. 'Ik hoef nu niet op mijn lijn te letten. Zie je nu dat er ook positieve kanten aan ziek-zijn zitten? Johan Cruyff zou zeggen: 'Elk nadeel heb z'n voordeel.''
Ze lachten allemaal.
Joyce keek bewonderend naar haar vriendin.
Toen Lobke haar later uitliet, zei ze: 'Nog bedankt, hè, voor daarnet.'
'Jij bedankt, voor je bezoek, en omdat je mijn vriendin bent,' was het antwoord van Lobke.
Ze knuffelden elkaar, en daarna ging Joyce weer naar huis.
Terug in de kamer rekte Lobke zich uit, en ze gaapte. 'Ik denk dat ik ook maar lekker in mijn bedje kruip.' Ze kuste haar ouders. 'Truste.'
'Welterusten, meisje.'
Toen Lobke naar boven was, keek Steven Hanneke aan. 'Wat hebben we toch een sterke dochter.'
'Dochters, zul je bedoelen,' zei Hanneke. Ze kroop naast hem op de bank.
'Dat krijg je met zo'n sterke moeder,' zei Steven, en hij sloeg zijn arm om haar heen. Zo bleven ze stil en genietend van elkaars nabijheid naast elkaar zitten, totdat het ook voor hen tijd was om naar bed te gaan.

14

'Lobke, hoever ben je? We moeten over een kwartiertje weg,' riep Hanneke onder aan de trap. Ze kreeg wel een reactie, maar kon niet verstaan wat er gezegd werd. Dus liep ze de trap op en stak ze bij het voormalige naaikamertje haar hoofd om de deur. Lobke stond driftig te raspen aan het stuk speksteen dat ze meegekregen had van opa. Ze had een mondkapje voor.
Opa was dinsdag bijna de hele dag geweest. Hij had allerlei raspen en vijlen en zagen meegenomen, zodat Lobke meteen aan de slag kon. Ook had hij wat mondkapjes meegenomen, 'tegen het stof'.
Lobke was daarna de hele dag fanatiek bezig geweest.
'Wordt het al wat?' vroeg Hanneke. Ze keek naar het stuk speksteen.
Lobke stopte met raspen en trok het kapje van haar neus. Ze blies een weerbarstige haarlok uit haar gezicht. 'Het is moeilijker dan ik dacht.'
'Tja, alle begin is moeilijk,' vond Hanneke. 'Weet je al wat je gaat maken?'
'Opa heeft me het advies gegeven om niet meteen iets concreets uit te beelden, want dat is hartstikke moeilijk, maar om eerst iets abstracts te maken. Kijk,' – ze wees naar de diverse geaderde lijnen in de steen – 'deze lijnen wil ik een extra accent geven. Die mogen in geen geval weggeraspt worden. Dus ik ben er hier en hier een glooiing in aan het maken. Eigenlijk weet ik nog niet precies hoe ik het uiteindelijk hebben wil, maar volgens opa wijst het zich vanzelf, als ik de steen maar volg. 'Je hoeft alleen maar weg te halen wat er te veel aan zit,' zei hij. Maar dat is dus best moeilijk.'
'Het lukt je vast wel,' zei Hanneke. 'Maar kom je nu? We moeten zo naar het ziekenhuis.'
Lobke keek op haar horloge. Ze schrok. 'Zo laat al? Ik was zo lekker bezig. Ik ben helemaal de tijd vergeten.' Ze liep naar de badkamer. 'Ik fris me even op. Ik kom zo.'

Even later zaten ze samen in de auto, op weg naar het ziekenhuis. Vanwege het slechte weer was er veel verkeer op de weg, maar ze kwamen toch nog op tijd in het ziekenhuis aan. Ze meldden zich bij de balie en zochten toen een plaatsje in de wachtruimte.
Lobke bladerde wat in een tijdschrift. 'Hé mam, kijk eens, een fotoreportage uit Puerto Rico, waar Ivo momenteel zit.' Ze legde het tijdschrift geopend op haar schoot en ging met haar vingers langs de foto's. Ze zuchtte. 'Wat een schitterende foto's, en wat een mooi eiland. Kijk eens, hier, en hier.'
Samen bewonderden ze de werkelijk prachtige reportage.
Toen werd Lobkes naam omgeroepen.
Gearmd liepen ze naar de spreekkamer van dokter Evers.
'Gaat u zitten. En, hoe is het? Je koortslip is weg, zie ik.'
'Ja, gelukkig wel. Dat was niet alleen een vervelende, maar ook een pijnlijke bedoening,' zei Lobke.
'En met de moeheid en de misselijkheid?'
'Valt ook mee, tot nu toe dan,' zei Lobke. 'Maar ik heb al gehoord dat de tweede kuur meer reactie geeft.'
'Dat hoor je wel vaker, maar het is echt bij iedereen anders,' zei de arts. 'Je bloedwaarden zijn tot nu toe in ieder geval goed. Als dat zo doorgaat, belooft dat een gunstige uitgangspositie voor je tweede kuur.'
Hanneke zat gespannen te wachten. Ze bestudeerde het gezicht van de arts, maar daarop viel niets te lezen.
Hij bladerde wat in zijn papieren en trok toen een formulier tevoorschijn.
Daar komt het, dacht Hanneke, en ze voelde de klauw weer wakker worden in de buurt van haar maag.
'Ik heb hier de uitslag van de bloedtest van Aafke,' vervolgde de arts, 'en tot mijn spijt moet ik jullie meedelen dat Lobke en Aafke niet HLA-identiek zijn. Dat betekent dus dat er geen goede *match* is.'
Er viel een stilte.
De klauw had zijn greep op Hannekes maag weer gevonden.
Ze kromp licht ineen.
De arts keek naar Lobke en daarna naar Hanneke, maar zei niets.

Lobke verbrak de stilte. 'En nu?' vroeg ze.
Weer was het stil.
Toen vroeg Hanneke: 'Kunnen mijn man of ik niet...?' Ze stokte.
De arts schudde zijn hoofd. 'We hopen dat dat in de toekomst wel mogelijk zal zijn. Daar lopen al allerlei onderzoeken over. Maar op dit moment is stamceltransplantatie alleen mogelijk als de donor HLA-identiek is, en dat is alleen bij broers en zussen mogelijk, met een kans van één op vier.'
Hij pakte een leeg papiertje en tekende het voor. 'Zoals jullie weten heeft ieder mens een bepaalde bloedgroep. De meest bekende daarvan zijn de rode bloedgroepen, zoals O-positief of AB-negatief. Daarnaast hebben mensen ook een witte bloedgroep, en daar gaat het nu om bij stamceltransplantatie. Die onderzoeken we. Die witte bloedgroep bestaat uit veel meer onderdelen dan de rode bloedgroep. Dat drukken we uit in HLA, ook wel weefseltypering genoemd. Als het HLA-type van de donor te veel afwijkt van dat van de ontvanger, van jou dus in dit geval,' hij knikte naar Lobke, 'krijg je een heftige afweerreactie tegen dat vreemde HLA, en daar word je nog zieker van.'
'Dat snap ik,' zei Lobke. 'En dat willen we niet.'
'Nee, dat willen we zeker niet,' zei de arts. 'Ouders kunnen daarom tot nu toe geen donor zijn, want die hebben altijd maar de helft van het HLA overgedragen. Alleen directe broers of zussen hebben kans dat ze zowel hetzelfde type van de vader als van de moeder hebben als degene die ziek is. Nogmaals: we hopen in de toekomst technieken te hebben om het HLA zo te bewerken dat het met iedere willekeurige ontvanger kan matchen, maar zover zijn we nu nog niet.'
'En nu?' herhaalde Hanneke de vraag van Lobke. De klauw had weer volledig bezit genomen van haar maag.
De betekenis van de uitslag van het bloed van Aafke leek nu tot Lobke door te dringen.
'Betekent dat dat ik niet meer beter kan worden?' vroeg ze met een ernstig gezicht.
'Ik zal eerlijk zijn,' zei de arts. 'Nu zijn je bloedwaarden nog goed, maar het is niet te voorspellen of dat zo blijft. We kunnen pas na

drie kuren zeggen of de kwaadaardige cellen allemaal opgeruimd zijn. Maar dan nog hoeft er maar één cel te blijven zitten om de leukemie te laten terugkomen. Stamceltransplantatie van HLA-identieke stamcellen vergroot je genezingskans aanmerkelijk. De gezonde stamcellen van de donor ruimen namelijk alle overgebleven kwaadaardige cellen op.' Daarna vervolgde hij met een blik op Hanneke: 'Uw andere dochter kan geen donor zijn?'
Hanneke schudde haar hoofd. 'Zij is ernstig verstandelijk gehandicapt.'
'Betekent dat dat ze gedeeltelijk of misschien zelfs geheel wilsonbekwaam is?' vroeg de arts.
Hanneke knikte. 'Ja, ze is geheel wilsonbekwaam. Ik ben haar mentor.'
De arts dacht even na. 'Voor zover ik weet, kunnen en mogen wilsonbekwame personen geen officiële donor zijn. Ze worden in ieder geval niet als donor geaccepteerd door de Donorregistratie.'
'En als er nu een kind leukemie krijgt, en de broertjes of zusjes zijn zelf ook nog kind, wat dan?' vroeg Lobke.
'Ik zal dat eens navragen bij mijn collega op de kinderafdeling. Volgens mij kunnen kinderen wel donor zijn, maar alleen van zogeheten 'regenererende organen'. Dus bijvoorbeeld wel bloed of beenmerg, dat zichzelf herstelt, maar geen nier of zo. Misschien geldt dat ook wel voor wilsonbekwame personen.'
'En Sanne dan?' Lobke keek Hanneke aan.
De klauw kneep. Hanneke moest weer terugdenken aan het voorval met de knikkerbaan en Sannes paniek wanneer ze bloed zag, haar angst voor de tandarts en alles wat met doctoren te maken had.
'Ik weet het niet.' Ze keek bijna smekend naar Lobke. 'Ik weet het echt niet.'
De arts zag haar worsteling. 'Praat u er eens met elkaar over,' zei hij toen. 'Dan zal ik hier intussen navragen wat de mogelijkheden zijn wanneer het om wilsonbekwame personen gaat. Dat heb ik zelf nog niet eerder bij de hand gehad.' Hij stond op en zocht in zijn kast naar wat documentatie. 'Ah, hier heb ik het.' Hij liet hun zien wat hij gevonden had.

'Er bestaat ook een wereldwijde donorbank waarvoor ik Lobke kan aanmelden. Daarin kan gezocht worden of er ergens op de wereld een HLA-identieke donor is voor Lobke. Maar dat is wel een langdurige procedure, met maar weinig kans van slagen,' waarschuwde hij.
'Doet u het toch maar,' zei Lobke. 'Ik wil alle kansen aangrijpen.'
'Goed, dan ga ik dat in gang zetten,' zei de arts. 'En dan zie ik je volgende week voor je volgende kuur. Je moet dan in plaats van om elf uur om tien uur komen. Dan wordt er eerst bloed geprikt om te kijken of je bloed goed genoeg is voor de kuur. Als alles in orde is, beginnen we om elf uur aan de tweede kuur.'
Ze namen afscheid van de arts en liepen naar de uitgang.
Lobke stak haar arm in die van Hanneke, maar die leek dat niet te merken en staarde voor zich uit.
Lobke drukte haar moeders arm tegen zich aan. 'Mam?'
Hanneke keek even opzij, maar zei niets.
Stil liepen ze weer verder, ieder vol van haar eigen gedachten.
Eenmaal in de auto op weg naar huis waagde Lobke een nieuwe poging. 'Mam?'
'Ja?' vroeg Hanneke kortaf.
'Ben je boos?'
Hanneke keek opzij en keek toen weer voor zich. 'Nee, ik ben niet boos.' Ze vocht tegen haar tranen. De klauw om haar maag werd groter en groter en was op weg naar haar hart. Ze wist dat ze dat niet mocht laten gebeuren, maar iets in haar verlangde er zelfs naar. Niets meer voelen. Geen pijn meer. Geen verdriet meer. Ze kreeg ineens veel meer begrip voor Stevens gedrag toen ze nog maar net gehoord hadden dat Lobke leukemie had. Ook haar leek niets voelen nu een aantrekkelijke optie.
'Mam?'
'Ja?'
'Ik heb moeten denken aan wat je laatst zei in bed, toen ik zo akelig gedroomd had. Over dat je jezelf gedwongen had eraan te denken dat je een keer doodging. Ik heb dat ook geprobeerd...'
In weerwil van zichzelf keek Hanneke opzij. 'En?' vroeg ze.
Lobke aarzelde even en zei toen: 'Ik vind dat hartstikke moeilijk...'

Het was weer stil. Toen hoorde Hanneke Lobke zacht snikken, en ze voelde het schokken ook tegen haar arm. Ze keek in de achteruitkijkspiegel en stuurde toen de auto naar de vluchtstrook. Daar zette ze de motor stil. Ze boog haar hoofd en vouwde haar handen tegen haar gezicht. Ze haalde nauwelijks adem, stikte bijna in haar eigen verdriet.

Zo zaten ze naast elkaar.

Lobke leunde snikkend tegen Hanneke aan, met steeds diepere uithalen. Het was alsof nu pas alle spanning van de afgelopen weken eruit kwam. Ze was al die weken zo sterk geweest, en zo strijdlustig, maar nu was het even op. Pas na een poosje werd ze wat rustiger.

Hanneke pakte een zakdoek uit haar jaszak en gaf die aan Lobke. 'Hier.'

'En jij dan?' vroeg Lobke. Ze keek naar de tranen die geluidloos over Hannekes wangen bleven stromen.

Hanneke schudde haar hoofd. 'Het is wel goed. Laat maar even stromen. Dan spoelt het misschien wel door,' zei ze, en ondanks haar verdriet lachte ze een beetje. Ze merkte dat haar huilbui de klauw teruggedrongen had naar de buurt van haar maag. Ze sloeg haar arm om Lobke heen. 'Sorry, hoor,' zei ze toen.

'Sorry? Waarvoor?' vroeg Lobke stomverbaasd.

'Dat ik even meer aan mezelf dacht dan aan jou.'

'Doe niet zo gek, mens,' zei Lobke. Ze had zichzelf weer wat in bedwang. 'Het zal voor jou en pap ook niet makkelijk zijn.'

'Dat is het natuurlijk ook niet, maar het is het ergst voor jou. Ik bedoel... Ik voel me zo machteloos,' barstte ze ineens uit. 'Die rotziekte. Ik wou dat ik die zelf had.'

Lobke wist even niet wat ze moest zeggen.

Weer zaten ze een poosje tegen elkaar aan geleund.

Toen begon Lobke weer. 'Mam?'

'Ja, mijn kind?'

'Geloof jij in een leven na de dood?'

Hanneke voelde aan Lobkes lichaamstaal dat het antwoord op die vraag veel voor Lobke betekende. Ze haalde even diep adem en zei toen: 'Ja.' Toen Lobke niet reageerde, ging ze verder: 'Maar ik weet niet hoe dat eruitziet. Er zijn verhalen van mensen met een bijna-doodervaring, die meestal gaan over een tunnel van licht, en over hoe mooi het daarna was, en over de liefde die ze daar ervaarden. Sommigen wilden zelfs niet eens meer terug naar dit leven. Ook zijn er godsdiensten die in reïncarnatie geloven en zeggen dat het leven een oneindige beweging is, en dat je in ieder leven iets nieuws kunt leren. Dat dat je opdracht is. Wat denk je zelf eigenlijk?'

Lobke haalde haar schouders op. 'Kweetnie. Daar had ik tot voor kort zelfs nooit over nagedacht. Ik heb het ook nauwelijks meegemaakt dat er iemand in mijn directe omgeving overleed. Opa en oma Schrijver waren al gestorven voordat jullie trouwden, en ook de vrouw van buurman Jan heb ik nooit meegemaakt. Joyce heeft een neef gehad die zelfmoord gepleegd heeft. Ze had altijd weinig contact gehad met die neef, en het deed haar niet zo veel, maar ik weet nog dat ik daar niks van begreep: hoe kon iemand die nog zo jong was, dood willen? En toen Anneke overleed, was ik meer bezig met het verdriet van haar ouders en mijn boosheid op die stomme vrachtwagenchauffeur en die lege plek in de klas dan met de dood zelf. Misschien omdat ik er toen van uitging dat het nog helemaal niet de bedoeling was dat Anneke doodging, omdat ze daar nog veel te jong voor was. Achteraf misschien wel naïef...'

'Wat zou je willen dat er met je gebeurt wanneer je doodgaat?' Hanneke stelde de vraag bewust. Die vraag had destijds iemand ook aan haar gesteld, en dat had haar geholpen er anders, wat neutraler, naar te kijken, als van een afstandje.

Lobke dacht na. 'Ik denk dat ik het wel fijn zou vinden als er na dit leven nog iets zou komen. Dat het hiermee niet ophoudt. Dat ik nog meer kansen krijg om goede dingen te doen, om dingen te leren, om...' Weer was ze even stil. Ze leek te worstelen met iets. Toen haalde ze diep adem en zei: 'Buurman Jan zegt dat je na je dood naar de hemel of naar de hel gaat...'

Hanneke zuchtte. 'Sommige godsdiensten houden mensen in het gareel door te dreigen met de hel, waardoor die mensen meer bezig zijn met het leven na de dood dan met dit leven zelf. Weet je nog dat pappa vertelde over opa Schrijver en die dreigende God? En dat hij daardoor nauwelijks een stap durfde te zetten, bang iets fout te doen?'

Lobke knikte.

Hanneke ging verder: 'Er staat ergens in de Bijbel dat in het einde der tijden God 'alles in allen' zal zijn, en dat de dood er dan niet meer zal zijn. Dat is iets waaraan ik me wil vasthouden: dat de dood ook voor mij een keer komt, maar dat uiteindelijk God 'in allen', dus ook in mij zal zijn, over de dood heen. Jezus heeft niet voor niets de dood overwonnen. De dood heeft dus niet meer het laatste woord.'

'En denk jij dat we andere mensen zullen herkennen wanneer we dood zijn? Ik bedoel: zie ik Anneke dan weer, en zie ik opa en oma Schrijver?'

Hanneke dacht even na. 'Dat weet ik niet,' zei ze toen eerlijk.

'En Sanne? Zal die dan anders zijn dan nu? Ik bedoel... Zal ze dan nog gehandicapt zijn? Ik ben soms wel eens nieuwsgierig hoe Sanne geweest zou zijn als ze die epilepsie niet gehad zou hebben. Ik kan me daar, eerlijk gezegd, niet zo veel bij voorstellen. Sanne is... Sanne is gewoon Sanne.'

Hanneke lachte zacht. Lobke verwoordde precies wat ze zelf ook wel eens gedacht had. Sanne was Sanne, en ze was goed zoals ze was. 'Ik hoop wel dat ze dan geen aanvallen meer zal hebben. Verder zou het me niet zo veel uitmaken.'

Ze schrokken allebei toen er door een politieagent op het raampje van de auto werd geklopt. Ze waren zo in hun gesprek verdiept geweest dat ze niet gezien hadden dat er achter hen een politieauto gestopt was.

'Alles goed, dames? U weet toch dat u hier niet mag staan?'

Hanneke draaide het raampje open. 'Ja, sorry. Maar we komen net uit het ziekenhuis en hebben daar een vervelend bericht gehoord. En dat voelde nogal heftig.'

De agent knikte. 'Ik zie het,' zei hij. 'Gaat het nu weer? Of hebt u hulp nodig? Moet ik soms iemand bellen?'

Hanneke schudde haar hoofd en keek naar Lobke.

Die knikte geruststellend.

Toen zei Hanneke: 'Nee hoor, dank u wel. We redden het wel weer.' Ze startte de auto, groette de agent en voegde zich weer in het verkeer. Daarna reed ze in één ruk door naar huis.

15

LOBKE BLEEK VAN DE TWEEDE KUUR INDERDAAD VEEL MEER LAST TE hebben. Ze was sneller moe, lag veel op bed, had nauwelijks eetlust en at daardoor weinig. Het duurde ook langer voordat ze daarvan een beetje hersteld was. Af en toe werd ze zelfs misselijk van alleen al de lucht van warm eten en vluchtte ze naar boven zodra Hanneke met eten koken bezig was. Ook begon het haar van Lobke uit te vallen.

Hanneke maakte zich zorgen en zorgde voor allerlei lekkere sapjes en hapjes, in de hoop dat Lobke op die manier toch nog iets binnenkreeg. Ze had haar werk in de bruidswinkel van Els tijdelijk op een laag pitje gezet en ging nu alleen nog maar 's morgens, zodat Lobke zo min mogelijk alleen was. Meestal ging ze pas boodschappen doen wanneer Roel na schooltijd langskwam, of wanneer Steven al thuis was.

Op een keer kwam ze na het boodschappen doen helemaal laaiend thuis. Ze smeet de boodschappentas op de grond, trok met driftige bewegingen haar jas uit, smeet die over de stoel en brieste tegen Steven: 'Dat geloof je toch niet.'

'Wat?' vroeg Steven verbaasd.

'Loop ik daar in de supermarkt, op zoek naar gezonde en vitaminerijke dingen voor Lobke, en zie ik daar ineens op een pak inlegkruisjes staan: 'met vitamine E'. Nou vraag ik je. In de derde wereld hebben ze soms niet eens te eten, maar hier in het rijke westen weten ze van gekkigheid niet wat ze met onze voedingsmiddelen moeten doen en stoppen ze zelfs vitamine E in onze inlegkruisjes. Dat is toch de omgekeerde wereld.' Ze ging op een keukenstoel zitten, plantte haar ellebogen op tafel en steunde haar hoofd in haar handen. Haar schouders schokten.

Steven stond op en ging naast haar staan. Hij streek met zijn hand over haar haar. 'Meisje toch...'

Hanneke draaide zich naar hem toe en sloeg haar armen stijf om zijn middel. Zo, met haar hoofd tegen zijn buik, snikte ze: 'Wat een krankzinnige wereld is dit toch soms.'

Steven liet haar een tijdje begaan, pakte haar toen onder haar armen en trok haar overeind. 'Kom eens even naast me op de bank zitten. Dat zit iets makkelijker.'
Hanneke liep gewillig met hem mee naar de bank en kroop daar weg in het vertrouwde holletje van zijn arm. Weer snikte ze: 'Snap je dat nou? In derdewereldlanden hebben ze soms amper te eten, laat staan dat ze zoiets als inlegkruisjes kunnen kopen, als ze al weten wat dat zijn, maar ergens op deze wereld in een of ander lab worden dus mensen betaald om zoiets te bedenken als het toevoegen van vitamine aan inlegkruisjes, in plaats van een oplossing te bedenken voor de grote voedselproblemen van deze wereld. Alsof frisse inlegkruisjes belangrijker zijn dan genoeg te eten voor alle mensen.' Ze schudde vertwijfeld haar hoofd en ging zacht verder: 'En wij hebben ons eigen voedselprobleem. Hierboven ligt onze doodzieke dochter die te misselijk is om te eten, en we zijn al blij als ze iets kan binnenhouden. En Sanne...' Weer snikte ze het uit.
Steven drukte haar tegen zich aan, maar zei niets. Hier had ook hij geen woorden voor.

* * *

Na het verontrustende bericht van dokter Evers over de negatieve uitslag van de HLA-*match* met Aafke, was Steven op internet gaan zoeken naar de mogelijkheden om Sanne donor te laten zijn.
Hanneke liet het hem doen, maar ze worstelde nog steeds met de vraag of ze dat wel als optie wilde houden. Ze kwam er niet uit. Enerzijds wilde ze natuurlijk alles doen om ervoor te zorgen dat Lobke weer beter werd. Ze had haar met alle liefde haar eigen beenmerg, een nier, een hand of zelfs haar hart gegeven, als dat er maar toe kon bijdragen dat Lobke weer helemaal gezond werd. Anderzijds ging haar hart uit naar Sanne, en zag ze maar steeds Sannes angst voor pijn en bloed en voor alles wat met dokters te maken had. Als Sanne donor zou worden, zou ze uitgebreid onderzocht moeten worden. Er zou bloed afgenomen moeten worden. Ze zou zelfs een narcose moeten ondergaan om het

beenmerg te leveren, want Hanneke wilde niet eens denken aan de mogelijkheid van vijf dagen achter elkaar een injectie en dan een of twee dagen ten minste vier uur aan een soort dialyseapparaat verbonden zijn. Sanne zou alles bij elkaar schreeuwen in het ziekenhuis.

Hanneke dacht terug aan de tijd dat Sanne een hersenzenuwstimulator had geïmplanteerd gekregen, omdat de epilepsiemedicatie weinig uithaalde. Zo'n stimulator was een soort pacemaker die onderhuids in de borstholte werd ingebracht, en die stroomstootjes afgaf waardoor de hersenen geprikkeld werden, en waarmee de epileptische aanvallen onderdrukt werden. Het was een operatie van anderhalf uur geweest, maar Sanne was er de hele week ziek van geweest. Niet eens zozeer lichamelijk, maar ze had heel angstig op het hele gebeuren gereageerd. Hanneke en Steven hadden toen gezegd: 'Dat is eens en nooit weer.'

En nu dit. Hanneke voelde zich innerlijk verscheurd, alsof ze moest kiezen tussen twee kinderen. Een onmogelijke opgave. Ze had het er met Steven over gehad. Die vond het ook moeilijk, maar wilde wel het traject in gaan om na te gaan of Sanne wel een geschikte donor zou zijn. 'Want als ze dat niet is, houdt het op. Dan hoeven we de beslissing of ze wel of niet donor kan en mag zijn, niet te nemen.' Maar Hanneke had zelfs moeite met die weg. Want dat traject gingen ze natuurlijk nooit vrijblijvend in. Als zou blijken dat Sanne wel een geschikte donor zou zijn, kwam daarna de onvermijdelijke vraag: mag ze dat ook? En die vraag zou zij als mentor, uiteraard samen met Steven, moeten beantwoorden. Ze durfde het er in eerste instantie niet eens met Lobke over te hebben, bang als ze was dat Lobke haar haar twijfel kwalijk zou nemen.

Maar toen begon Lobke er zelf over.

Ze zaten in de woonkamer met een kopje thee, Lobke op de bank en Hanneke in Stevens luie stoel. Roel was net weg. Die had wat kaarten en brieven van school gebracht. Mirjam Foekens, de mentor van de klas van Lobke, was met hem meegekomen, en ze hadden het over van alles en nog wat gehad, maar het onderwerp van een eventuele donatie was als een zwaard van Damocles

boven de tafel blijven hangen en niet ter sprake gekomen. Mirjam had wellicht aangevoeld hoe gevoelig het moest liggen voor Hanneke.
Toen boog Lobke zich naar haar toe. 'Mam,' zei ze, 'heb je al nagedacht over Sanne?'
Hanneke, die de afgelopen dagen met het zware gevoel in haar buik had geworsteld, voelde de klauw zich weer samenknijpen om haar maag. Ze knikte. 'Ja,' zei ze. Meer niet.
Lobke was even stil. Toen ging ze dapper verder. 'Ik heb er zelf ook over nagedacht,' zei ze. 'En ik heb besloten dat het niet hoeft.'
Hanneke keek haar verwonderd aan. 'Wat niet hoeft?'
'Sanne hoeft geen donor te zijn,' vervolgde Lobke. 'Ik bedoel... Ik weet nog precies hoe bang ze was na die operatie met die stimulator. Dat wilden we geen van allen meer. Jullie niet, maar ik ook niet. En ik weet dat Aafke daar ook zo over denkt.'
'M... m... maar...' stamelde Hanneke. 'Maar jij dan?'
'Ik heb het er met Roel over gehad. Misschien is er ergens op de wereld toch iemand die hetzelfde HLA-patroon heeft als ik. Dat kan toch?'
'En als dat nu niet zo is?' vroeg Hanneke.
'Nou, dan heb ik dikke pech. Natuurlijk wil ik blijven leven, maar misschien is dat dan niet de bedoeling. Ik wil in ieder geval niet blijven leven als het ten koste moet gaan van Sanne. Het is trouwens helemaal niet zeker dat ik met die stamcellen van Sanne wel beter word, en als het dan niet aanslaat, heeft Sanne dat allemaal voor niets moeten ondergaan.'
Hanneke bewonderde de rustige manier waarop Lobke haar uitleg deed. Wat was het toch een flinke meid.
Toch voelde Lobkes standpunt niet als een geruststelling. Integendeel, ze ervaarde het alsof Lobke haar nu de keus grootmoedig uit handen genomen had. Omdat zij als moeder die keus zelf niet kon maken. Was zij nu maar zo flink als Lobke. Maar ze voelde zich laf, en ze voelde zich tevens tekortschieten tegenover Lobke, en vreemd genoeg ook tegenover Sanne.
Ze zuchtte. 'Was het maar zo simpel, Lobke.'
Lobke keek haar met grote ogen aan, waarin een vragende uit-

drukking lag. 'Zo simpel is het toch? Ik had verwacht dat je wel blij zou zijn met mijn oplossing.'
'Hoezo blij?' Hanneke keek Lobke stomverbaasd aan.
'Nou, ik heb gezien hoe je worstelde de afgelopen dagen. Je was er wel, maar je was er ook niet. En ik ken je. Ik weet hoeveel je van Sanne houdt en hoeveel moeite je er altijd mee hebt wanneer Sanne pijn heeft, soms nog meer dan Sanne zelf.'
Hanneke kreunde licht. 'Maar diezelfde moeite heb ik ook nu jij zo ziek bent, kind. Ik wil ook niet dat jij pijn hebt. En ik wil nog minder dat jij zo jong doodgaat.'
Ze hief haar handen in een wanhopig gebaar omhoog.
Lobke moest onwillekeurig aan het albasten beeldje denken. Haar hart ging uit naar haar moeder. Ze probeerde zich voor te stellen wat die moest doormaken, maar dat lukte niet. Dat leek te erg. Wel kon ze zich er iets bij voorstellen dat haar moeder haar ziekte wilde overnemen als dat zou kunnen. Dat had ze soms zelf tegenover Sanne, wanneer die bang was of pijn had. En daardoor was ze tot deze beslissing gekomen. Vreemd genoeg was ze zelf na haar beslissing niet meer zo bang. Ze voelde zich zelfs strijdlustig, en was vastbesloten de dood met open ogen tegemoet te treden. Ze had daarbij moeten denken aan de begrafenis van Anneke. De dominee had toen een verhaal uit een kinderboek voorgelezen, dat 'Wij gaan op berenjacht' heette. Het ging over een groepje kinderen die op berenjacht gingen en daarbij allerlei obstakels tegenkwamen, zoals hoog gras, een diepe rivier en een donker woud. De steeds terugkerende zin daarbij was: 'We kunnen er niet bovenover. We kunnen er niet onderdoor. We moeten er wel dwars doorheen'. Dit was haar 'berenjacht'. En ze zou er 'dwars doorheen' gaan. Met die instelling was ze met haar moeder begonnen over haar beslissing. Maar wat ze verwacht had, gebeurde niet. Haar moeder leek niet opgelucht te zijn dat ze niet zelf die beslissing had hoeven nemen. Lobke snapte er niets van.
Hanneke dacht na. Het was alsof de beslissing van Lobke juist tegenwicht had gegeven aan de argumenten die er bij haar voor pleitten dat Sanne geen donor zou hoeven zijn, in plaats van dat die beslissing de weegschaal had laten doorslaan naar 'het hoeft

niet'. 'Je hebt helemaal gelijk dat ik, koste wat het kost, wil voorkomen dat Sanne pijn heeft of bang is. Maar je weet net zo goed als ik dat Sanne die pijn en die angst op een gegeven moment toch ook weer vergeten is.' Ze verbaasde zich over de woorden die uit haar mond kwamen. Zei zij dit? 'En ik wil net zomin dat jij doodgaat. Die angst en pijn van Sanne gaan een keer over, maar jouw vroege dood zou onomkeerbaar zijn.'
Er werd op het raam geklopt. Daar was Aafke. Ze zwaaide.
Hanneke liep naar de deur en liet Aafke binnen. 'Fijn dat je er bent,' verzuchtte ze.
Aafke keek verbaasd. 'Wat is er dan?'
Ze hing haar jas op de kapstok en liep achter Hanneke aan de kamer in.
'Hoi, zus,' klonk het van weerskanten. Ze knuffelden elkaar even.
'Wat is er?' vroeg Aafke weer.
'Ik heb net verteld dat Sanne geen donor hoeft te zijn,' zei Lobke. 'Ik wil het zelf niet. Ik wil niet dat Sanne pijn moet lijden en bang moet zijn, alleen omdat er een mogelijkheid bestaat dat ik beter kan worden.'
'Nou, dan kom ik precies op het juiste moment,' zei Aafke nuchter. Ze ging naast Lobke op de bank zitten. 'Want ik heb ook eens zitten denken.'
Lobke en Hanneke keken Aafke vragend aan.
Die ging verder: 'Lobke, stel dat Sanne leukemie had, of ik. Zou jij dan donor willen zijn als je daarvoor geschikt was?'
'Natuurlijk.' Lobke hoefde daar niet eens over na te denken.
'Maar dan zou je wel heel vervelende onderzoeken moeten ondergaan, en misschien zelfs een pijnlijke operatie.'
'Nou, en?' vroeg Lobke. 'Daar kom ik wel weer overheen.'
'Hoe denk je dat Sanne hierover gedacht zou hebben als ze niet verstandelijk gehandicapt was geweest?' vroeg Aafke toen.
Lobke snapte waar Aafke naartoe wilde. 'Dat is geen vraag,' protesteerde ze. 'Want dat is niet zo, Sanne is gehandicapt.'
'Ja, Sanne is gehandicapt. Haar hersenen zijn onherstelbaar beschadigd. Maar stel nu dat er een techniek zou zijn die die beschadigde hersencellen zou kunnen herstellen, en dat jij daarvoor

weefsel zou moeten leveren? Zou jij dan je medewerking verlenen?'

'Natuurlijk,' zei Lobke weer.

'Waarom?' vroeg Aafke.

'Waarom? Waarom? Moet je dat nog vragen? Omdat Sanne mijn zus is. Omdat ik van haar houd. Omdat ik haar alle geluk van de wereld gun.'

'Precies,' zei Aafke. 'En houdt Sanne dan niet van jou?' Ze begon zich op te winden. 'Je moest eens weten hoe ik ervan baalde toen ik hoorde dat er geen HLA-*match* was tussen ons. Ik had o zo graag beenmerg aan je gegeven om je daarmee de kans te geven om beter te worden. Helaas, dat mocht niet zo zijn. Maar je hebt nog een zus. Door je zo op te stellen ontneem je zelfs Sanne de gelegenheid om jou te helpen. Oké, ze is niet in staat dat te verwoorden en zelf toestemming te geven. Ze is, voor zover wij kunnen nagaan, zelfs niet eens meer in staat daarover na te denken. Maar neem maar van mij aan dat ze dat graag zal willen doen voor jou, net zo graag als ik dat gedaan zou hebben.'

Hanneke had stil zitten luisteren naar de discussie tussen Aafke en Lobke. Ze zag ineens Sanne weer voor zich, hoe enthousiast ze altijd reageerde op Lobke. Hoe blij ze was geweest toen ze Lobke op de computer had gezien. Hoe Aafke en Lobke Sanne weer rustig gekregen hadden toen Sanne haar hand had opengehaald aan de kapotte knikkerbaan. Ze haalde diep adem en zei: 'Aafke heeft gelijk.'

Lobke keek bijna verstoord. 'Mam!' zei ze.

Maar Hanneke ging verder. 'Ja, Aafke heeft gelijk. Als Sanne niet verstandelijk gehandicapt was geworden, had ze zich ongetwijfeld meteen beschikbaar gesteld om donor te zijn. Ondanks de fysieke ongemakken die dat voor haar zou meebrengen. Omdat ze van je houdt. Omdat ze je alle geluk van de wereld gunt. Omdat jij haar zus bent.'

Aafke knikte. 'Zo is het.'

Hanneke sloeg haar armen om haar beide dochters heen. Ze gaf Aafke een extra knuffel. 'Dank je wel. Ik zat helemaal vast en kon voor mijn gevoel geen kant meer op. Maar door jou kan ik weer verder. Kunnen wij weer verder,' verbeterde ze zichzelf, en ze keek liefdevol naar Lobke.

Ze stond op. 'Kom,' zei ze. 'Pappa komt zo thuis. We bespreken dit met hem, en dan bellen we morgenochtend dokter Evers.'

16

ZE ZATEN NAAST ELKAAR IN DE SPREEKKAMER VAN DOKTER EVERS: Hanneke, Steven, Aafke en Lobke.
Dokter Evers keek naar de mensen tegenover hem. Een hecht gezin, zag hij. Dat kwam hij weleens anders tegen. Soms maakte kanker meer kapot dan alleen gezonde cellen. Soms gingen relaties er ook aan kapot. Maar dat leek hier niet het geval. 'Je bent naar de kapper geweest?' begon hij.
'Ja,' zei Lobke, 'mijn haar begon zo uit te vallen, en ik werd gek van de jeuk op mijn hoofd. Dus heb ik het maar heel kort laten knippen. Dan kan ik er alvast een beetje aan wennen dat ik straks kaal ben.'
'Nou, het staat je goed. Lekker pittig, zo kort.'
Hanneke zat wat te draaien op haar stoel. Er waren wel belangrijker zaken te bespreken dan een bezoek aan de kapper.
De arts zag het en zei: 'U hebt een beslissing genomen over uw andere dochter, begrijp ik?'
'Ja,' zei Hanneke. 'Wij zijn tot de slotsom gekomen dat we graag willen dat u nagaat of Sanne een geschikte donor zou zijn.'
De arts keek haar bedachtzaam aan. 'Dat lijkt me een moeilijke beslissing geweest?'
'Ontzettend,' gaf Hanneke toe. 'Ik voelde me innerlijk verscheurd. Ik kreeg het idee dat ik moest kiezen tussen het welzijn van het ene kind tegenover dat van het andere.'
De arts knikte. 'Bijna een onmogelijke keuze.'
'Precies.'
Na een korte stilte zei Steven: 'Ik ben eens gaan zoeken op internet. Ik kwam daar tegen dat er zelfs mensen zijn die nog een kind 'nemen' om dat donor te laten zijn voor hun zieke kind.'
De arts knikte. 'Er zijn zelfs landen waar ze embryo's daarop selecteren, zogeheten 'baby's op maat'. In veel landen, ook in Nederland, is dat echter bij de wet verboden.'
'Nou ja, dat is bij ons ook niet aan de orde,' ging Steven verder. 'Maar ik heb ook iets gevonden over de vraag in hoeverre wils-

onbekwame personen donor kunnen en mogen zijn. Als ik het goed begrepen heb, mag dat in uitzonderlijke gevallen wel.'
'Dat klopt,' zei de arts. 'Ik heb ook een en ander uitgezocht, en uw dochter Sanne mag beenmerg of stamcellen doneren, maar daar zijn wel extra beperkingen aan.' Hij pakte een papier uit zijn la. 'Ik heb hier de folder van het NIGZ over donatie bij leven, en daar staat het uitgebreid in beschreven. Zoals ik vorige keer al gezegd heb, mogen alleen zogeheten 'regenererende organen' gedoneerd worden, zoals bloed en beenmerg, dat na de donatie opnieuw aangemaakt wordt door de donor. In dit geval zou het gaan om beenmerg of stamcellen. Dus dat is in orde. Daarnaast moet de ontvanger een bloedverwant zijn die in levensgevaar verkeert en geen andere mogelijkheden heeft om beter te worden. Lobke,' hij keek Lobke aan, 'jij bent Sannes zus, dus een bloedverwant in de eerste graad. De leukemie vormt een levensgevaar, en Aafke,' daarbij keek hij naar Aafke, 'je andere zus, is niet HLA-identiek. Dus ook aan die voorwaarde wordt voldaan. Ik moet er als arts voor zorgen dat alle betrokkenen op duidelijke wijze geïnformeerd worden over de donatie en de gevolgen ervan voor de donor, en dat mag u ook van mij verwachten. Ten slotte: naast de wettelijk vertegenwoordiger, u als ouders in dit geval,' en hierbij keek hij naar Steven en Hanneke, 'moet ook de rechter toestemming geven voor de donatie, en die zal in het bijzonder kijken naar de laatste beperking: de wilsonbekwame persoon moet er een groot belang bij hebben dat het levensgevaar wordt afgewend. Er moet dus aangetoond worden dat Sanne er een groot belang bij heeft dat Lobke beter wordt.'
Steven boog zich voorover. 'En hoe moeten we dat aantonen?'
'Ik neem aan dat de rechter wil nagaan hoe uw onderlinge relatie is, hoe Sanne en Lobke met elkaar omgaan. Hij of zij zal zelf een inschatting moeten maken van dat aanmerkelijk belang van Sanne. Wellicht zal hij of zij ook een gesprek met de hulpverleners van Sanne willen hebben. Maar eerst zullen we moeten nagaan of Sanne wel een geschikte donor is, of zij wel HLA-identiek is met Lobke. Want als dat niet zo is, hoeven we de weg naar de rechter niet te gaan. En ook zullen we het bloed van Sanne moe-

ten onderzoeken op de mogelijke aanwezigheid van hepatitis of van het hiv-virus, als u daarvoor toestemming geeft.'
Hanneke knikte.
De arts vervolgde: 'Maar dan heb ik eerst een andere vraag. Gebruikt Sanne medicatie?'
'Alleen anti-epileptica,' zei Hanneke. 'Ze is verder zo gezond als een vis en nooit ziek.'
'Dat is goed om te horen,' zei de arts. 'Wanneer zou Sanne bloed kunnen laten prikken? Is het mogelijk dat Sanne daarvoor niet naar hier hoeft te komen, maar dat ze dat bij haar in de instelling doen? Dat lijkt me minder traumatisch voor haar.'
Hanneke schudde haar hoofd. 'Nee,' zei ze beslist. 'De Roos is het veilige thuis voor Sanne, en dat moet het ook blijven. Dat moet ze niet gaan associëren met iets wat ze akelig vindt. Nee hoor, ze komt wel naar het lab. We zullen vragen of haar persoonlijk begeleider mee kan komen.'
'Dat is prima,' zei de arts. 'In welke instelling verblijft Sanne?' Hij maakte een notitie en pakte toen een labformulier. 'Ik zal dit invullen. Dan kunt u het handigst zelf een afspraak maken met het lab, in overleg met de afdeling waar Sanne verblijft.'
'Fijn,' zei Hanneke.
'En dan maar hopen dat Sanne wel een geschikte donor zal blijken te zijn,' zei Aafke. 'Ik vond het zo jammer dat mijn bloed niet HLA-identiek was. Ik had het graag gedaan.'
'Anders wij wel,' zei Steven.
'Dan zie ik je woensdag over twee weken voor je derde kuur,' zei de arts tegen Lobke.
'Eerst mijn verjaardag vieren,' zei Lobke. 'Gelukkig valt die net in een goede periode.'
De arts keek op de gegevens voor hem. 'Volgende week vrijdag, zie ik. Ga je nog iets leuks doen?'
Lobke lachte. 'Ik laat me wel verrassen.'
'Nou, fijne verjaardag dan,' zei de arts.
Ze namen afscheid en liepen naar de uitgang.
Daar zeiden Hanneke en Lobke Steven en Aafke gedag, die ieder met hun eigen auto naar hun werk vertrokken.

'Wil je nog even de stad in?' vroeg Hanneke.
Lobke schudde haar hoofd. 'Nee, liever naar huis. Ik ben erg moe, en ik wil nog even naar bed. Vanmiddag komt Roel, en dan wil ik uitgerust zijn.'

* * *

's Middags kwam Roel. Hij had weer een hele stapel kaarten bij zich van de klas. 'Zelfs van de Terminator,' lachte hij.
'Tjonge, die heeft zichzelf overtroffen,' zei Lobke. 'Zit er niet stiekem een opdracht bij voor een werkstuk?' Ze nam de stapel kaarten door. Het deed haar zichtbaar goed dat ze niet vergeten werd.
Roel vertelde over de schoolonderzoeken waaraan ze begonnen waren. 'Vooral dat van scheikunde viel niet mee. Daar heb ik vast een onvoldoende voor.'
In het begin was Roel wat voorzichtig geweest met de verhalen over school. Hij was bang dat Lobke het vervelend zou vinden als hij allerlei dingen vertelde waar Lobke maar al te graag zelf bij geweest had willen zijn. Maar Lobke had hem al snel doorgehad, en ze had hem gevraagd juist zo veel mogelijk over school te vertellen. 'Dan blijf ik er toch een beetje bij horen voor mijn gevoel.'
'We hebben toch gelachen vanmorgen,' vertelde Roel. 'Jodocus was blijkbaar niet helemaal wakker toen hij zichzelf aankleedde, want hij had geen stropdas om. Kun je het je voorstellen? Jodocus zonder stropdas?'
'Jodocus zonder stropdas? Die was vast ziek.' Lobke haalde zich de leraar Engels voor de geest, iemand van de oude stempel, die altijd onberispelijk gekleed door het leven ging. Op school werden er weleens grapjes over gemaakt dat hij thuis vast een bolhoed droeg, tot in de slaapkamer toe, om er als op-en-top gentleman uit te zien. Zelfs zijn haar lag altijd hetzelfde: de scheiding links en de weinige haren als evenwijdige lijnen naar rechts. Lobke zag hem in gedachten 's morgens bezig om met een liniaaltje zijn scheiding aan te brengen...
'Hij had het niet in de gaten, en wij zeiden ook niks natuurlijk,

maar er werd wel van alles gefluisterd. Toen hij iets op het bord aan het schrijven was, zagen we hem met zijn linkerhand naar zijn boordje gaan, en blijkbaar voelde hij toen dat hij geen stropdas om had, want toen hij zich later omdraaide had hij zijn bovenste knoopje losgemaakt, en hij had een hoofd als een boei.'

'En toen?' vroeg Lobke gespannen.

'We durfden geen van allen hardop te lachen, want dan zou hij helemaal uit elkaar gespetterd zijn. Maar toen we eenmaal de klas uit waren, hebben we allemaal staan stikken van het lachen. En hij is in de pauze vast naar huis gegaan, want in het derde uur had hij zijn stropdas weer om.'

Lobke zuchtte even. 'Ik wou dat ik daarbij geweest was.'

'Mis je school?' vroeg Roel voorzichtig.

Lobke schudde haar hoofd. 'Ik heb zo weinig energie. Ik moet er nu even niet aan denken huiswerk te moeten maken, of me te concentreren op bio of scheikunde. Maar ik mis de klas wel.'

'Wij missen jou ook. Dat hoor ik regelmatig, zelfs van de leraren,' zei Roel. Toen vervolgde hij: 'Weet je al wat je gaat doen met je verjaardag?'

Lobke schudde haar hoofd. 'Ik heb er wel veel over nagedacht, en dan komt er steeds de gedachte bij dat dit weleens mijn laatste verjaardag zou kunnen zijn. Dus ik wil wel dat die heel speciaal wordt. Maar ik heb geen idee hoe.'

'Wat zou je allemaal nog gedaan willen hebben?' vroeg Roel. 'Voor je... voor je dood zou gaan, bedoel ik.' Hij maakte een wat onbeholpen gebaar. 'Stel dat...'

'Nog zo veel,' verzuchtte Lobke. 'Mijn rijbewijs halen. Een opleiding volgen. Stage in het buitenland lopen. Een leuke baan hebben. Trouwen met jou. Een stralende bruid zijn op een prachtig feest. Moeder worden. Veel te veel om dat allemaal te doen in het halve jaar of zo dat ik misschien nog maar heb. Dat moeder worden kan ik waarschijnlijk zelfs nu al vergeten, want ik heb van dokter Evers begrepen dat er grote kans is dat ik van die chemokuren onvruchtbaar word. Maar dat schuif ik maar voor me uit. Eerst maar eens zien of ik wel beter word. Wat zou jij willen doen als dit jou overkomen was?'

Roel haalde zijn schouders op. 'Geen idee. Ik heb echt geen idee.'
Ze waren allebei even stil.
Toen vroeg Roel: 'Hoe staat het met je beeldhouwkunst?'
'Nou, kunst...' Lobke lachte. 'Ik heb ontdekt dat zoiets nog hartstikke moeilijk is. Het lijkt nog nergens op.'
'Mag ik het eens zien?' vroeg Roel.
'Ja hoor, kom maar mee.' Lobke stond op en ging hem voor naar boven.
Even later stonden ze samen te kijken naar het stuk speksteen waarmee Lobke bezig was.
'Dit is het.' Lobke haalde wat verontschuldigend haar schouders op. 'Ik zit een beetje vast. Ik weet eigenlijk niet hoe ik nu verder moet, maar ik wil het niet aan opa vragen, want die zegt toch dat ik naar mijn eigen ingevingen moet luisteren.'
Roel bekeek het stuk van alle kanten en zei toen: 'Ik heb er geen verstand van, hoor, maar als je hier op deze plek nu eens een gat maakte? Dan lopen deze lijnen daarnaartoe, en dan lijkt het wat minder massief.'
Lobke zag wat hij bedoelde. 'Goed idee,' zei ze. 'En dan kan ik hier...' Ze pakte een koolstift en bracht wat lijnen aan op het stuk steen. 'Als ik het nu eens zo doe?'
Roel knikte. 'Mooi,' zei hij.
Lobke knuffelde hem. 'Hè, fijn, dan kan ik er weer verder mee,' verzuchtte ze.
'Komen jullie zo theedrinken?' klonk het van beneden.
'Ja, we komen eraan,' riep Lobke terug.
Samen liepen ze naar beneden.

* * *

Toen Roel aan het eind van de middag naar huis terugfietste, dacht hij na over wat Lobke had gezegd toen haar verjaardag ter sprake kwam. Over wat ze allemaal nog wilde. En toen begon er in zijn hoofd een plannetje te rijpen...

17

HANNEKE ONTWAAKTE TRAAG UIT EEN DIEPE SLAAP. ZE WERD ZICH langzaamaan bewust van de geluiden om haar heen. Het tikken van de wekker op het nachtkastje. Het zachte ademhalen van Steven naast haar. Een startende auto in de straat. De merels in de tuin. Er was iets vandaag, herinnerde ze zich. Maar wat?

Ineens was ze klaarwakker. Lobkes verjaardag. Vandaag werd Lobke achttien.

Naast het verdrietige gevoel dat dit wellicht Lobkes laatste verjaardag zou zijn, was er ook het gevoel van opwinding over wat ze vandaag allemaal gingen doen. Ze was benieuwd hoe Lobke aan het eind van de dag zou terugkijken op deze verjaardag.

Ze stapte het bed uit en schoof zacht het gordijn wat opzij. Gelukkig, het weer werkte mee. Ze keek op de wekker. Kwart over zeven. Zou ze nog terugkruipen, lekker tegen Steven aan? Het was nog vroeg. Toch nog maar doen.

Ze stapte weer in bed, vleide zich tegen Stevens rug aan en sloeg haar arm om zijn middel.

Steven knorde, rekte zich uit en draaide zich toen om. Hij gaf haar een kus. 'Gefeliciteerd met onze jongste dochter,' zei hij met zijn prettige bromstem, die 's morgens vroeg nog sensueler klonk dan anders.

Hanneke keek hem aan. 'We gaan er een mooie dag van maken,' zei ze.

'Heeft ze nog niks in de gaten?' vroeg Steven.

'Volgens mij niet. Gisteren had ze het erover dat er nog niks concreets geregeld was. Nou, daar zal ze vanavond wel anders over denken.' Hanneke verheugde zich al bij voorbaat op het gezicht van Lobke wanneer ze zou ontdekken wat ze allemaal ging beleven vandaag.

'Ik ga er maar uit. Ik kan toch niet meer stilliggen,' zei ze toen, en ze stapte het bed uit.

'Gezellig is dat,' bromde Steven. 'Nou, ik draai me nog even lekker om.'

Hanneke ging zich douchen en aankleden, en daarna ging ze naar beneden om het ontbijt klaar te maken. Ze kookte vier eieren, perste wat sinaasappels en bakte verse broodjes. Daarbij keek ze af en toe uit het raam. Daar zag ze Aafke aankomen, met een grote bos bloemen bij zich. Ze liep snel naar de voordeur en deed die zachtjes open. Ze legde samenzweerderig haar vinger tegen haar mond. 'Sst, Lobke slaapt nog.'

'Hoi, mam. Gefeliciteerd met je dochter,' zei Aafke, en ze gaf haar moeder een kus.

'En jij met je zus.'

'Ga je haar ontbijt op bed brengen?' vroeg Aafke.

Hanneke schudde haar hoofd. 'Nee, dat lijkt me niet zo gezellig, zij boven en wij beneden ontbijten. Ik wilde de tafel feestelijk dekken. Wil jij de bloemen alvast in het water zetten? Dan kunnen die ook op tafel. En wil je daarna de slingers ophangen?'

Ze hoorden boven wat gestommel.

Even later kwam Steven in zijn badjas naar beneden, zijn haar helemaal door de war.

'Hoi, pap. Ook al wakker?'

'Jij bent er vroeg bij.' Hij knuffelde Aafke.

'Tja, wanneer mijn jongste zus achttien wordt, is dat toch een bijzondere dag.'

'Ik weet nog dat jij achttien werd,' zei Hanneke. 'Toen vond ik dat ineens zo vreemd, dat ik al een dochter had die volwassen was geworden. Echt een mijlpaal. En nu is mijn jongste ook al achttien.'

'Het is ook mijn jongste, hoor,' zei Steven nuchter.

Hanneke lachte. 'Oké, je hebt gelijk. Onze jongste dan. Maar heb jij dat ook? Ik bedoel, ik voel mezelf nog helemaal niet oud, maar door het volwassen worden van onze kinderen besef ik dat bij mij de jaren ook steeds meer gaan tellen.'

'Ik denk dat dat ook komt doordat jouw ouders allebei nog leven,' zei Steven. 'Misschien heb je daardoor het gevoel dat je jong blijft, omdat je nog steeds hun kind bent. Ik heb dat wel gemerkt toen mijn ouders overleden. Alsof ik daardoor ineens een stukje opschoof in *the circle of life*.'

'Wat een zware kost op de vroege morgen,' zei Aafke geeuwend.

'Wil je me even helpen met de slingers, pap? Straks komt Lobke naar beneden voordat we klaar zijn.'
Aafke en Steven hingen de rest van de slingers op, terwijl Hanneke de laatste hand legde aan de ontbijttafel.
'Zullen we de jarige eens wakker gaan maken?' vroeg Steven toen hij klaar was. 'Ik heb best wel trek in die lekkere broodjes.'
Ze liepen achter elkaar aan de trap op, Steven voorop. Bij de deur van Lobke bleven ze staan.
Hanneke klopte zacht op de deur.
'Ja?' klonk het slaperig.
'Ben je al wakker?' vroeg Hanneke.
'Nu wel.'
Hanneke deed de deur open, en ze liepen na elkaar naar binnen. Lobke keek verbaasd. 'Zo, een hele delegatie.' En tegen Steven en Aafke: 'Moeten jullie niet werken?'
'En op de verjaardag van mijn jongste dochter de hele dag op kantoor zitten zeker?' lachte Steven. 'Nee hoor, ik ben lekker vrij vandaag.'
Ze feliciteerden Lobke om beurten met een uitgebreide knuffel, die dat genietend over zich heen liet komen.
'Kom je er zo uit?' vroeg Hanneke toen. 'Het ontbijt staat al klaar.'
Na een heerlijk ontbijt verdween Lobke naar boven om zich te douchen en aan te kleden.
Steven hielp nog even met het opruimen van de ontbijtboel, en verdween daarna ook naar boven, toen Lobke klaar was in de badkamer.
'Hoe laat komt hij?' vroeg Aafke.
'Ik heb om tien uur afgesproken,' zei Hanneke. 'Ik ben zo benieuwd hoe ze het vindt.'
Lobke kwam naar beneden. Ze verbaasde zich er wel over dat nog niemand het over een cadeautje had gehad, maar, moest ze toegeven, ze had ook geen verlanglijstje gemaakt. Nou ja, ze zou wel zien wat de dag haar zou brengen.
Tegen tien uur werd er gebeld aan de voordeur.
'Doe jij even open, Lobke?' vroeg Hanneke. 'Dat zal wel voor jou zijn.'

Lobke liep naar de voordeur. Ze keek verbaasd toen er een voor haar wildvreemde man voor de deur stond, die zich voorstelde als Van Wanenburg en toen tegen haar zei: 'Ben je er klaar voor?'
'Klaar waarvoor?' vroeg ze. Ze keek achterom, waar Hanneke, Steven en Aafke haar lachend aankeken.
'Voor je eerste rijles,' zei Hanneke glunderend. 'Verrassing.'
Bij Lobke schoten de tranen in de ogen, en ze vloog haar ouders om de hals. 'Gaaf, pap en mam.'
De rij-instructeur stond er lachend bij te kijken. Daarna vroeg hij: 'Ga je mee?'
'Even mijn jas aandoen,' zei Lobke. Ze pakte haar jas van de kapstok, trok die snel aan en liep achter de man aan naar buiten.
'Wil je meteen achter het stuur, of zullen we naar een rustig plekje rijden, zodat je daar kunt beginnen?' vroeg Van Wanenburg.
'Eerst maar naar een rustig plekje,' vond Lobke.
De man hield daarop het portier van de bijrijdersplaats voor haar open en stapte daarna zelf in.
Hanneke, Steven en Aafke zwaaiden hen na en liepen daarna weer naar binnen.
'Nou, cadeau nummer één vond ze in ieder geval geslaagd, zo te zien aan haar reactie,' zei Hanneke. 'Nu de rest nog.'
Na een uur kwam Lobke terug, nu zelf achter het stuur. Ze bleef nog een poosje in de auto zitten om een vervolgafspraak te maken en kreeg daarbij papieren voor het theoretisch examen. Daarna stapte ze uit en liep ze stralend naar de voordeur.
'Dat was leuk,' verzuchtte ze. 'Ik heb zelfs al in de derde versnelling gereden. En dinsdag mag ik weer, net een dag voor mijn nieuwe kuur.'
'Moe?' vroeg Hanneke.
'Een beetje wel. Zo veel nieuwe indrukken weer.'
'Ga dan eerst maar wat rusten, want er staat nog meer op het programma,' zei Hanneke.
Lobke haalde verbaasd haar wenkbrauwen op. 'Nog meer? Wat dan?'
'Dat zie je vanzelf wel,' zei Hanneke, en ze duwde Lobke in de richting van de trap. 'Nu eerst verplicht rusten.'

* * *

Om halfeen kwam Lobke weer naar beneden. Ze gaapte even. 'Hè, ik heb zelfs geslapen. Lekker.' Ze keek de kamer rond. Hanneke en Aafke zaten te lezen, en Steven zat met de koptelefoon op naar muziek te luisteren.

'Heeft er nog iemand gebeld, van school of zo?'

'Nee, niemand.'

Lobke schudde haar hoofd. 'Raar. Zelfs Joyce niet?'

'Zelfs Joyce niet. Die is vast druk bezig aan een schoolonderzoek.'

'Nee, dat kan niet. Dat hadden ze vandaag niet. Nou ja, dan belt ze vanmiddag misschien wel. En wat gaan we nu doen?'

'Eerst de inwendige mens versterken,' vond Hanneke. Ze stond op en liep naar de keuken om de oven aan te zetten. 'We gaan zo lunchen, en daarna gaan we op weg naar je volgende cadeau.'

'O, dus dat krijg ik niet hier?' vroeg Lobke. 'Wat is het dan?'

'Nieuwsgierig Aagje,' plaagde Aafke. 'Wacht maar af.'

Lobke en Aafke dekten de tafel, terwijl Hanneke wat verse broodjes bakte.

Na het eten zei Hanneke: 'Voordat we naar je volgende cadeau gaan, moet ik eerst nog langs tante Els. Gaan jullie allemaal mee?'

'Ja, leuk. Het is al een tijdje geleden dat ik tante Els gezien heb,' zei Aafke.

Ook Lobke reageerde enthousiast. 'Dan kan ik de nieuwe collectie bekijken.'

Maar Steven schudde zijn hoofd. 'Als jullie het niet erg vinden, blijf ik hier. Kom me straks maar halen.'

Ze reden met z'n drieën naar de bruidswinkel.

Els stond hen al op te wachten. 'Hè, fijn dat jullie er zijn,' zei ze. 'Ik heb een probleem.'

'Wat dan?'

'Ik zou vanmiddag een pasbruidje krijgen, maar die belde net dat ze ziek is. Haar jurk moet nog afgespeld worden, en ze gaat aanstaande dinsdag al trouwen. We hebben dus geen tijd te verliezen.'

Ze keek schattend naar Lobke. 'Ik denk dat ze zo ongeveer jouw

maat heeft en dat jij even lang bent. Zou jij de jurk willen passen? Dan kan ik zien hoe hij valt, en of er niks trekt.'
Lobke knikte verbaasd. 'Dat wil ik wel.'
Ze liepen samen naar de pasruimte. Els haalde daarop een prachtige jurk tevoorschijn. Lobke sloeg haar hand voor haar mond van bewondering. 'O, tante Els, wat een schitterende jurk.' Ze streek met haar hand langs de ivoorkleurige zijde.
De jurk was werkelijk een plaatje. Hij had een strapless lijfje, met aan de achterkant een veter die kruislings naar beneden liep. De rok liep naar onder steeds wijder, met hier en daar ragfijne borduursels. Hij had een kleine sleep.
Els hielp Lobke in de jurk.
Aafke en Hanneke keken glimlachend toe.
Toen ze klaar was, bekeek Lobke zichzelf in de spiegel. De jurk stond haar geweldig. Zelfs de lengte was goed. Ze draaide zich om en om.
'Mooi,' zei Els, 'daar hoeft niets meer aan gedaan te worden, zo te zien. Zou je het leuk vinden als ik er een foto van maak?'
Lobke knikte enthousiast. 'Ja, gaaf. Dan heb ik iets om Roel mee te verrassen. En dan kan pap het ook zien. Jammer dat hij er niet bij is.'
'Wacht, ik zal je nog een beetje opfleuren,' zei Els. 'Nu is je huid wel erg wit boven die jurk.' Ze pakte een beautycase en deed wat lichte make-up op bij Lobke. Keurend bekeek ze het resultaat. 'Mooi. Nog iets op je hoofd?' vroeg ze toen.
Lobke keek naar haar kortgeknipte haar, dat steeds dunner werd. 'Een hoed lijkt me mooier dan een sluier,' zei ze. 'Wat had die bruid uitgezocht?'
'Ook een hoed,' zei Els. Ze pakte uit een doos een hoed in dezelfde kleur als de jurk, met een brede rand, en zette die bij Lobke op haar hoofd.
'Dat maakt het helemaal af,' verzuchtte Lobke. Ze bekeek aandachtig haar spiegelbeeld. Toen zei ze: 'Zo zou ik er als bruid ook uitgezien willen hebben, als...'
Hanneke zag dat daarbij de tranen in haar ogen stonden. Ze schoot zelf ook vol, en naast haar stond Aafke te snotteren.

Toen nam Els het heft in handen. 'Je bent een prachtige bruid,' zei ze. 'Alleen ontbreekt er nog iets.'
'Ja, een bruidsboeket,' zei Lobke. Maar Els schudde haar hoofd. 'Ook. Maar wat nog belangrijker is, een bruidegom.'
Toen liep ze naar een zijdeur van de bruidswinkel en opende die. Daar verscheen Roel, in een prachtig donker pak, met een overhemd in dezelfde kleur als de jurk van Lobke. Hij droeg geen stropdas; het overhemd had een mooie open kraag. In zijn handen droeg hij een schattig biedermeier bruidsboeket van zalmkleurige roosjes.
Lobke keek hem stomverbaasd aan. 'Roel?'
Roel liep op haar toe. 'Wat ben je mooi...' zei hij zacht. Hij gaf haar het boeket, legde zijn handen op haar schouders en kuste haar voorzichtig.
Lobke keek naar Roel en van hem naar de anderen.
Hanneke, Aafke en Els hadden alle drie de tranen over de wangen lopen, maar ze straalden ook alle drie.
Els maakte een paar foto's van het paar.
'Verrassing nummer twee,' zei Hanneke zacht.
'Maar... maar...' stamelde Lobke.
Toen zei Roel: 'Ik wilde zo graag dat deze verjaardag speciaal voor je zou zijn. En omdat je vorige week zei dat je onder meer zo graag een keer mijn stralende bruid wilde zijn, en omdat... omdat...' Zijn stem stokte en hij haalde wat hulpeloos zijn schouders op.
'En omdat ik dat misschien nooit zal meemaken, heb jij dit geregeld,' begreep Lobke. Ze pakte ontroerd zijn hand. 'Ik vind het geweldig,' zei ze zacht.
'En het is nog niet klaar,' zei Els. Ze pakte een stola, sloeg die om bij Lobke en maakte toen een diepe buiging. 'Mevrouw, mijnheer, uw rijtuig staat voor.'
'Rijtuig?' Lobkes ogen waren schoteltjes van verwondering.
Els liep naar de winkeldeur. Daar stond inmiddels een koetsier in een prachtig roodfluwelen pak te wachten.
Roel en Lobke pakten elkaar bij de hand, en samen liepen ze naar de deur toe.

Hanneke en Aafke volgden. Aafke maakte nog meer foto's met de camera van Els.
Voor de winkel stond een witte koets te wachten, met twee zwarte paarden ervoor. Ook stonden er een hoop mensen te kijken. Een gejuich ging op toen Lobke en Roel de winkel uit stapten.
'Hoera voor het bruidspaar,' riep iemand uit het publiek.
Lobke zwaaide vriendelijk en liet zich toen door Roel in de koets helpen.
'Waar gaan we naartoe?' vroeg ze toen Roel naast haar zat. Haar gezicht was één groot vraagteken.
'Dat zie je vanzelf wel.'
Lobke bedacht dat dit nu al de derde keer was dat er vandaag zoiets tegen haar gezegd werd. Ze besloot alles maar over zich heen te laten komen en er met volle teugen van te genieten.
Ze reden in de richting van Hoofddorp, zag Lobke. Het rijtuig schommelde zacht. Ze kroop tegen Roel aan. 'Heerlijk, joh. Wat een bijzondere dag.'
Roel lachte maar eens. Hij vond het fijn dat zijn plannetje bij Lobke in goede aarde viel.
In Hoofddorp reed de koetsier de parallelweg langs de Kruisweg in, ging door het hek van de rooms-katholieke kerk, en draaide het kleurrijke kerkplein op. In de bestrating waren allerlei symbolen te zien. De koetsier sprong van de bok af en hielp Roel en Lobke uitstappen.
Het was fris geworden, en Lobke trok de stola wat strakker om zich heen. 'Waar gaan we naartoe?' vroeg ze. 'Naar de kerk?'
Roel schudde zijn hoofd.
Ze liepen langs de kerk naar het terrein erachter. Daar lag een prachtige tuin.
'Dit is een bijbelse tuin,' vertelde Roel. 'Er staan hier veel planten en bomen en kruiden die ook in de Bijbel voorkomen. En ook staan er mooie beelden. Dit leek me wel een mooie plek om met jou naartoe te gaan. Dan kun je misschien inspiratie opdoen voor je eigen beeld.'
Lobke keek om zich heen. 'Het is hier werkelijk prachtig,' zei ze. Toen zag ze ineens een bekend gezicht. 'Pap?'

Daar stond Steven met een fotocamera in de hand. Hij keek ontroerd naar zijn jongste dochter. 'Wat zie je er prachtig uit.' Zijn stem klonk schor.

'Jullie zitten blijkbaar allemaal in het complot,' zei Lobke met tranen in haar ogen. 'En ik vond het in de winkel al zo jammer dat jij er niet bij was.'

Steven was al begonnen met het maken van foto's. Lobke en Roel liepen hand in hand de tuin in. De begraafplaats, die ook in de tuin lag, liepen ze voorbij. 'Vandaag willen we niet stilstaan bij de dood, maar het leven vieren,' zei Roel.

Lobke was dat met hem eens.

Af en toe stonden ze bewonderend stil bij de beelden.

Geregeld liet Steven hen even poseren om wat plaatjes te schieten. 'Daar, voor die bomen, mooi, met die rode en gele bladeren. En daar, bij de vijver, prachtig zoals jullie spiegelbeeld daarin zichtbaar is.'

Er kwam een man op hen toe lopen. Hij groette Roel en zei: 'Is dit ze nu?'

Roel knikte. De man stelde zich voor: 'Cees van Lent. Ik ben de pastor van deze kerk en de initiatiefnemer van deze tuin.'

Lobke en Steven stelden zich ook voor.

'Zijn jullie al bij het labyrint geweest?' vroeg de pastor. Op hun ontkennende antwoord vroeg hij: 'Zal ik het jullie laten zien?'

'Graag.'

Ze liepen samen in de richting van het labyrint. Toen ze daar aangekomen waren, zei Lobke: 'Het is net een soort doolhof.'

De pastor schudde zijn hoofd. 'Een labyrint is iets heel anders dan een doolhof,' legde hij uit. 'Een doolhof is een soort puzzel met allerlei doodlopende gangen, waarbij je moet oppassen dat je geen verkeerde afslag neemt in het zoeken naar de uitgang. Want dat is het doel van een doolhof: zo snel mogelijk de uitgang zien te vinden. Een labyrint is geen puzzel, en de bedoeling is ook niet er zo snel mogelijk uit te komen. Daar bestaan geen verkeerde afslagen. Daar is de tijd nemen voor je weg juist heel belangrijk. In een labyrint ontmoet je jezelf. Je legt de weg naar het midden al mediterend af en je stelt je bij iedere afslag open voor het nieuwe dat op je weg komt. Daarbij lijkt het soms dat je van het centrum vandaan loopt, maar als je doorloopt op dat pad, merk je dat je toch bij het centrum uitkomt. Goed luisteren naar jezelf en doorgaan op je weg brengen je vanzelf naar het midden. Het labyrint wordt gezien als een metafoor voor je levensweg.'

Lobke had ademloos naar hem geluisterd. Toen zei ze: 'Dat vind ik een mooi beeld. Toen ik hoorde dat ik ernstig ziek was – heeft Roel u verteld dat ik ziek ben? –, was mijn eerste gedachte: hoe kom ik hier zo snel mogelijk uit? Toen voelde het als een doolhof waarin ik verdwaald was. Maar gaandeweg ben ik zo veel dingen tegengekomen waarbij ik ben blijven stilstaan, dat ik het nu ervaar als een labyrint, zoals u het uitlegt. De weg zelf is belangrijk geworden. Waar de weg eindigt, weet ik niet, maar dat hoef ik ook niet meer te weten.'

Pastor Van Lent knikte. 'God geeft de mensen geen doolhoven,' zei hij toen. 'Maar wel een labyrint. Soms ervaren mensen juist pas in dat labyrint dat God met hen is. En dan gaan ze hun weg in vertrouwen verder.'

Hij wees naar het beeld dat in het centrum van het labyrint stond. 'De feniks die je daar ziet, is een mythische vogel die symbool staat voor de wedergeboorte. Leven door te sterven. Uit de as, het stof der aarde, stijgt de feniks op naar het eeuwige licht.'

De kop van de vogel, die naar de hemel reikte, deed Lobke denken aan het albasten beeldje van opa. En de uitleg van pastor Van Lent herinnerde haar aan het verhaal van haar moeder dat ze pas ontdekt had wat leven inhield toen ze geaccepteerd had dat ze eens doodging.

Ook Steven was onder de indruk van het verhaal. Hij dacht even aan zijn vader. De God van zijn vader was wel een God van doolhoven geweest, waarbij geen moment duidelijk werd wat nu de juiste weg was, en waaruit geen ontsnappen mogelijk leek...

Lobke huiverde.

Roel zag het en zei: 'Krijg je het koud?'

Ze knikte en stak toen haar hand uit naar pastor Van Lent. 'Dank u wel voor uw uitleg. U hebt me heel wat gegeven om over na te denken. Ik wil graag nog een keer terugkomen, en ik hoop dat ik

dan het labyrint kan lopen. Nu vind ik het daar wat te fris voor.'
Ze liepen langzaam terug naar de koets.
De koetsier stond geduldig te wachten.
'Ik zal maar niet meer vragen wat we nu gaan doen, want dan zeggen jullie natuurlijk weer dat ik maar moet afwachten,' zei Lobke met een knipoog.
Steven en Roel keken elkaar aan. 'Precies,' zeiden ze tegelijkertijd.
Ze moesten alle drie lachen.
Lobke en Roel stapten in de koets.
De koetsier klakte met zijn tong, en de paarden reageerden daarop door stapvoets in de richting van de rijweg te lopen.
Steven zocht zijn auto op en reed snel naar huis om zich te verkleden en Hanneke en Aafke te halen.
De beide dames waren al in vol ornaat, te leen meegekregen vanuit de bruidswinkel, waar ook avondkleding verhuurd werd. Hanneke had een mooie koningsblauwe, wijdvallende lange jurk, die prachtig kleurde bij haar ogen. En Aafke droeg een strakke, lange, wijnrode rok met daarboven een ivoorkleurige blouse.
'Jullie zien er ook geweldig uit,' vond hij.
Hanneke was benieuwd. 'En, hoe vond je Lobke eruitzien?'
Steven schoot weer even vol bij de herinnering aan de eerste blik op zijn dochter vanmiddag. 'Als een stralende jonge vrouw,' zei hij. 'Het meisjesachtige was er helemaal af.'
Steven verkleedde zich snel.
Daarna reden ze samen naar een restaurant even buiten Hoofddorp. Ze kwamen tegelijk aan met Frank, de vader van Roel.
'Gefeliciteerd met de verjaardag van jullie dochter,' zei hij. 'Hoe is het allemaal gegaan?'
Hanneke vertelde hem uitgebreid over de wederwaardigheden van vandaag.
Ze liepen naar binnen en werden naar een klein zaaltje geleid, waar opa en oma De Bont samen met Els en Ton zaten te wachten. Ook Joyce was er al.
Even later kwamen Roel en Lobke gearmd binnen.
Frank en Steven stonden al met hun camera in de aanslag. Van alle kanten klonken oh's en ah's.

Lobke voelde zich als een koningin. Ze knikte vriendelijk naar iedereen.
Bij haar plaats gekomen schoof Roel haar stoel galant naar achteren. Hij gaf haar een handkus, waarna ze voorzichtig ging zitten.
De ober kwam met een vaas voor het boeketje.
'Ben je nog niet moe?' vroeg Hanneke bezorgd.
Lobke schudde haar hoofd en zei: 'Vast wel, maar ik wil het even niet voelen. Ik vind dit allemaal zo gaaf. Straks, wanneer ik in bed lig, mag ik weer moe zijn, maar nu even niet.'
'Nou, kijk dan maar eens achterom.'
Lobke draaide verbaasd haar hoofd om. Nog meer verrassingen? Toen begon haar gezicht opnieuw te stralen. 'Sanne.'
Daar kwam Tim aanlopen, met Sanne in de rolstoel. Sanne zat met haar hoofd gebogen, haar lichaam maakte een licht wiegende beweging, iets wat ze meestal deed wanneer ze in een voor haar onbekende omgeving was. Maar toen ze de stem van Lobke hoorde, hief ze haar hoofd op. 'Lobke!' Haar ogen hielden Lobke vast, en ze stopte met wiegen. 'Lobke mooie jurk!'
Lobke stond op en knielde bij Sanne neer. 'Ja, mooie jurk, hè?' zei ze. 'Lobke is jarig.'
'Jarig!' riep Sanne. 'Feest! Zingen!' Ze begon meteen. 'Lang zallie leve, lang zallie leve...'
Even viel er een stilte.
Sanne begon opnieuw: 'Lang zallie leve, lang zallie leve...'
Lobke keek de kring rond. 'Nou, meezingen, kom op.'
Opa durfde het als eerste. 'Lang zal ze leven, lang zal ze leven,' zong hij met Sanne mee, waarna iedereen hem aarzelend bijviel. Bij het 'hiep hiep hiep' deed iedereen uit volle borst mee, en Sanne riep het hardst: 'Hoera!'
'Dat is Sannes wens voor jou,' zei Tim. 'Van harte, Lobke. Je ziet er geweldig uit. Roel ook trouwens.'
Lobke knuffelde haar zusje uitgebreid, en ook Roel kreeg een dikke knuffel van Sanne.
'Blijven jullie mee-eten?' vroeg Lobke.
'Alleen het voorgerecht. Daarna gaan we terug. Het is allemaal al druk genoeg voor Sanne.'

Sanne mocht tussen opa en oma in zitten, en Tim kreeg een plek naast Aafke.
Het diner was heerlijk.
Lobke zat met blosjes op haar wangen te genieten. Ze keek regelmatig de kring dierbare mensen rond. Wat een verjaardag!
Na het voorgerecht vertrokken Sanne en Tim, uitgezwaaid door de rest van het gezelschap.
Voordat het dessert geserveerd zou worden, stond Roel op. Hij tikte even tegen zijn glas, zodat iedereen stil werd. Toen schraapte hij zijn keel, keek Lobke aan en zei: 'Lieve Lobke. Toen je vanmorgen wakker werd, had jij nog geen idee wat we vandaag allemaal met je van plan waren. Wij wel, want we zijn de afgelopen dagen druk bezig geweest met het organiseren van deze dag. Jouw achttiende verjaardag.' Hij haperde even. 'Wij hebben allemaal een aandeel gehad in deze dag. Jouw en mijn vader nemen samen de kosten van het diner voor hun rekening. Het koetsje hebben opa en oma geregeld. Tante Els heeft onze kleding verzorgd. Aafke heeft voor het boeketje gezorgd.' Hij lachte even. 'Nee, dat heb je dus niet van mij. Je moeder kwam met het plan voor de bijbelse tuin. Het aandeel van Joyce hoor je zo meteen. En mijn aandeel is dat ik mijn vrije middag heb opgeofferd om jou op sleeptouw te nemen.'
Iedereen lachte, hijzelf ook. Toen keek hij weer ernstig en zei: 'Lieve Lobke. Je hebt me verteld dat je graag eens mijn bruid wilt zijn. Ik wil dat natuurlijk ook graag, en ik hoop dat er een dag komt waarop we samen de echte bruid en bruidegom zullen zijn. Maar als die dag niet komt...' – hier haperde hij weer, en even was het zo stil dat je een speld kon horen vallen – 'dan hebben we toch deze dag gehad. Die neemt niemand ons nog af.' Hij stak zijn hand in zijn zak, haalde er een langwerpig pakje uit en gaf het aan Lobke. 'Alsjeblieft. Dit is een symbool van mijn verbondenheid met jou.'
Lobke pakte het aan en deed nieuwsgierig het doosje open. Op een bedje van wit satijn lag een fijn gouden kettinkje, met daaraan een gouden medaillon. Op het medaillon waren de gegraveerde letters R en L met elkaar vervlochten. Ze maakte het open

en zag twee foto's, eentje van haarzelf en een van Roel. Ze bleef met gebogen hoofd zitten en barstte toen in snikken uit. Haar schouders schokten.

Roel keek wat hulpeloos naar Hanneke. Die stond op en liep naar Lobke toe. Ze hurkte bij haar neer. 'Meisje toch.' Ze haalde uit haar tasje een zakdoek en stak die Lobke toe.

Lobke snoot haar neus en keek toen de kring rond. 'Wat een gek mens ben ik toch,' zei ze terwijl ze nog wat nasnikte. 'Nu heb ik zo'n fijne dag, en dan ga ik zitten janken.' Ze lachte door haar tranen heen.

'Volkomen logisch,' zei oma nuchter. 'Je hebt ook zo veel meegemaakt vandaag.'

Lobke haalde diep adem en rechtte toen haar schouders. 'Ik vond het echt een te gekke dag.' zei ze. 'De mooiste verjaardag van mijn leven.'

Iedereen was even stil. Het besef dat dit ook wel eens de laatste verjaardag van haar leven kon zijn, viel zwaar.

Joyce maakte een einde aan de wat ongemakkelijk wordende stilte door te gaan staan. 'En nu mijn aandeel nog. Of eigenlijk: ons aandeel.' Ze gaf een teken aan de ober, die daarop de deur opende en een stroom jongelui binnenliet: de klasgenoten van Lobke, en zelfs enkele leraren.

Ze stelden zich naast elkaar op, allemaal breed grijnzend naar Lobke. Joyce ging bij hen staan en zei: 'We gaan je niet allemaal zoenen, want dat is op dit moment niet zo gezond voor jou. Die zoenen houd je dus nog te goed. Maar we willen wel iets anders voor je doen.' Ze gaf een teken aan een van de obers. Toen klonk uit de luidsprekers in de hoeken van de zaal muziek. Iedereen herkende de beginmaten van het bekende nummer van Lee Towers. De jongelui deinden mee op de maat van de muziek, en daarna zongen ze allemaal uit volle borst mee:

When you walk
through a storm,
hold your head up high
and don't be afraid of the dark,

'cause at the end of the storm
there's a golden sky
and the sweet silver song
of the lark.
Walk on, through the wind,
walk on, through the rain,
though your dreams be tossed
and blown.
Walk on, walk on,
with hope in your heart,
and you'll never walk alone.
You'll never walk alone.
Walk on, walk on,
with hope in your heart,
and you'll never walk alone.
You'll never walk alone!

Lobke kon er niets aan doen, ze moest weer huilen. Ook de andere leden van het gezelschap veegden regelmatig met hun zakdoek langs hun ogen.
Na het lied zwaaide de groep uitbundig naar Lobke. 'Houd je taai.' 'We denken aan je.' 'Je ziet er geweldig uit.' 'Hopelijk tot gauw ziens.'
Lobke zwaaide net zo uitbundig terug. Daarna leunde ze achterover in haar stoel en verzuchtte: 'Ik kan de komende nacht natuurlijk nooit slapen. Wat een verjaardag!'
Joyce was weer gaan zitten en lachte naar haar vriendin.
Lobke keek de kring rond en zei toen: 'Ik zou willen dat ik genoeg woorden had om te vertellen hoe blij ik ben met deze dag. Maar woorden schieten nu tekort. Dus zeg ik alleen maar: Bedankt allemaal. Uit de grond van mijn hart.' Ze draaide zich naar Roel. 'En ik begrijp dat jij dit allemaal bedacht hebt. Lieve Roel. Je hebt me een heel bijzonder cadeau gegeven. Niet alleen met wat we allemaal vandaag gedaan hebben, maar ook met die prachtige ketting. Ik zal hem zolang ik leef' – hierbij stokte haar stem even – 'op mijn hart dragen. Mijn 'tegenover'. Ik houd van je.'

'Ik ook van jou,' zei Roel zacht.
Ze sloten elkaar in de armen.
'Een mooi einde van een mooie dag,' zei opa. En dat was niks te veel gezegd.

18

De dag van de derde kuur brak aan.
Hanneke was de hele ochtend al zenuwachtig. Twee weken eerder was bij Sanne bloed geprikt, wat wonder boven wonder goed gegaan was. Tim was meegegaan naar het lab. 'Sanne was eerst wel wat gespannen in die vreemde omgeving,' vertelde hij, 'maar ik had een klein keyboard meegenomen, waarmee ik haar aandacht wilde trekken. Dat is gelukt. De laborante zat aan de linkerkant van Sanne, en ik ben rechts van haar gaan zitten, met het keyboard op mijn schoot. Ik hield haar rechterhand vast en hielp haar toets voor toets een melodietje spelen. Sanne was er zo in verdiept dat ze nauwelijks merkte dat ze geprikt werd. En nu maar hopen dat de uitslag goed is.'
Ook Lobke was gespannen, niet alleen voor de uitslag, maar ook voor de kuur zelf. Van de tweede kuur had ze meer last gehad dan van de eerste. Zou het nu nog erger worden?
Ze reden zwijgend naar het ziekenhuis. Daar moest Lobke eerst bloed laten prikken. In afwachting van de uitslag daarvan gingen ze in het restaurant een kopje thee drinken. Na een halfuurtje liepen ze naar de wachtkamer van dokter Evers, bij wie ze even later werden binnengeroepen.
De arts keek ernstig.
Hanneke schrok. Sanne was zeker ook geen geschikte donor.
De arts begon: 'Ik heb net de uitslag van je bloed gezien, Lobke. Die is nog niet goed genoeg voor je derde kuur. We zullen die een week moeten uitstellen. Je moet deze week goed rust nemen, en dan hopen we dat het volgende week wel kan.'
'En de uitslag van Sanne?' vroeg Hanneke gespannen.
'Die is nog niet binnen. Wanneer is Sanne geprikt?'
'Morgen is het twee weken geleden.'
De arts zocht tussen zijn papieren. 'Dan zou inmiddels die uitslag binnen kunnen zijn, al duurt het weleens langer dan twee weken. Weet u wat? Ik kan me voorstellen dat u erg benieuwd bent naar de uitslag. Zodra die binnen is, zal ik u bellen.'

Met een onbestemd gevoel reden ze weer naar huis. Lobke zei: 'Ik heb, denk ik, wel gevoeld dat mijn bloed niet goed was. Ik was al een paar dagen niet lekker.'
Hanneke vroeg ongerust: 'Waarom heb je dat dan niet gezegd?'
'Omdat ik niet wilde dat jullie dachten dat het van dat verjaardagsfeest kwam.' Ze leunde verzaligd achterover. 'En al zou het er wel van komen, dan nog heb ik dat er graag voor over. Ik kan er nog iedere dag van nagenieten.'
Toen ze thuis waren, belde Hanneke naar Steven om hem te vertellen over de uitgestelde kuur.
Ook Steven schrok ervan. 'Hoe reageerde Lobke erop?' vroeg hij.
'Die was nogal laconiek,' zei Hanneke. 'Ze had het min of meer verwacht, omdat ze zich niet zo lekker voelde.'
'Hoi, pap,' riep Lobke uit de verte.
'Mag ik haar even?' vroeg Steven.
Hanneke wenkte naar Lobke, die de hoorn van haar overnam.
'Hoi, pap.'
'Hoe voel je je nu?'
Lobke hoorde de bezorgdheid in zijn stem. 'Gaat wel, hoor. Maak je maar niet bezorgd. Nu heb ik nog een weekje extra om na te genieten van mijn verjaardagsfeest.'
'Doe toch maar rustig aan,' zei Steven. 'Jij wilt vaak veel te hard.'
'Dat heb ik dan van geen vreemde,' lachte Lobke. 'Maar ik zal goed naar mijn lijf luisteren, hoor. Dus ga ik zo nog een poosje rusten. Tot vanavond. Wil je mamma nog hebben?'
'Dat is goed. Tot vanavond.'
Lobke gaf de hoorn terug aan Hanneke en zei: 'Ik ga even op bed liggen. Roep je me straks voor het eten?'
Hanneke knikte. 'Doe ik.'
Daarna verdween Lobke naar boven.
's Middags na de lunch belde Roel op haar mobiel. 'Hoe ging het vanmorgen?'
'Het ging niet door. Mijn bloed is nog niet goed genoeg. Dus ik ben gewoon thuis.'
'O. En ik had nog wel iets leuks voor je, als troost voor je kuur.'
'Wat dan?' vroeg Lobke nieuwsgierig.

'Ik kom het zo wel even brengen.'
Even later kwam Roel aanfietsen. Hij gooide zijn fiets tegen de garagedeur en stapte door de achterdeur naar binnen.
Lobke begroette hem en keek hem nieuwsgierig aan.
Hij overhandigde haar een plastic tasje. 'Hier, vers van de pers.'
Lobke stak haar hand in het tasje en haalde er een boekje uit. Ze bladerde erin en begreep toen ineens wat ze in haar handen had.
'De foto's van mijn verjaardag.'
Hij knikte. 'Jouw vader heeft zijn foto's naar mijn vader gemaild, en oom Ton heeft die van je tante Els ook naar ons gemaild. Toen hebben mijn vader en ik er samen dit albumpje van gemaakt.'
Lobke ging zitten met het boekje op schoot. 'Wat zijn ze mooi geworden. Kijk eens, mam.'
Hanneke kwam erbij zitten en bewonderde de foto's. 'Een mooi aandenken aan een mooie dag,' zei ze. 'Kunnen we ook nog foto's nabestellen? Want ik denk dat Aafke en opa en oma er ook wel wat willen hebben. En misschien tante Els ook wel, voor in haar etalage.'
'Dat kan,' zei Roel. 'Als u doorgeeft welke foto's en hoeveel van elk, zal ik ervoor zorgen.'
Lobke keek genietend naar de foto waarop haar klasgenoten stonden te zingen. 'Ik heb hen nog niet eens fatsoenlijk bedankt,' zei ze. 'Ik zal straks eerst eens een kaart schrijven. Wil jij die dan meenemen, Roel?'
'Tuurlijk. Je moet trouwens de groeten hebben van iedereen. Ook van Mirjam. Ze vond het jammer dat ze er niet bij kon zijn vorige week.'
'Dan zal ik haar een apart kaartje sturen en vragen of ze langskomt. Dan kan ze meteen de foto's bekijken.'
'Er zijn ook nog een paar digitale filmpjes gemaakt, zoals van het zingen. Mijn vader zal die voor je op een dvd zetten. Dan kan ze die ook zien,' zei Roel.
Hanneke zat intussen in het boekje te bladeren. 'Mooi zijn ook die foto's van de bijbelse tuin geworden,' zei ze.
'Ja, hè?' zei Lobke. 'En over die uitleg van dat labyrint heb ik nog veel nagedacht.'

'O, vertel eens,' vroeg Hanneke.
'Nou, ik dacht dat een labyrint hetzelfde was als een doolhof, maar pastor Van Lent zei dat het heel iets anders was. Als je in een doolhof zit, ga je op zoek naar de uitgang en probeer je daar zo snel mogelijk uit te komen. Terwijl een labyrint juist bedoeld is om te leren van je weg door het labyrint en om stil te staan bij wat je tegenkomt. En ik zei toen dat ik mijn ziekte eerst ervaarde als een doolhof, waaruit ik zo gauw mogelijk weg wilde, maar dat ik het nu steeds meer zie als een labyrint, omdat ik steeds meer stilsta bij wat me overkomt, en omdat ik dit zie als mijn weg. Ik kan daardoor meer leven in het hier en nu, in plaats van bezig te zijn met wat er misschien straks allemaal wel of niet gaat gebeuren.'
Hanneke keek met verwondering naar haar dochter. 'Meisje, wat ben je in korte tijd volwassen geworden,' zei ze zacht.

* * *

's Avonds in bed kon Hanneke niet in slaap komen. Ze lag in het donker naar het plafond te staren en dacht na over wat Lobke had gezegd over het labyrint, en dat ze haar ziekte als 'haar weg' zag. Weer dat beeld van die weg, dacht ze. Nu zonder strepen. Hoewel, een labyrint was toch ook op een of andere manier gemarkeerd als strepen op de grond.
Ze had niet eens geweten dat er een labyrint was in de bijbelse tuin, ze was er zelfs nog nooit geweest. Ze had laatst van een aanstaand bruidje gehoord dat ze daar hun trouwfoto's gingen maken, en dat had ze doorgegeven aan Roel toen hij met zijn plannetje voor Lobkes verjaardag kwam.
Ze had na het avondeten op internet naar informatie gezocht over labyrinten, en was op een site dezelfde uitleg tegengekomen als die Lobke had verteld: 'Een labyrint is een kruisingsvrij, slingerend pad, dat de loper langs een aantal wendingen naar het centrum en terug naar buiten voert. Er is een aantal verschillende modellen van een labyrint. Ze hebben echter één ding gemeen: in tegenstelling tot een doolhof, waarin je keuzen moet maken tus-

sen verschillende paden, heeft een labyrint een enkel pad dat de loper langs een aantal wendingen leidt naar het centrum en terug naar buiten. Veel mensen verwarren een labyrint met een doolhof. Dan mis je een belangrijk punt: in een doolhof verlies je je weg, in een labyrint vind je je weg.'*

Hanneke moest terugdenken aan haar tocht door de mist van destijds, en bedacht hoe blij ze toen was geweest met de strepen op de weg, die haar letterlijk de weg wezen.

Ze had op diverse foto's bij de site gezien dat een labyrint vaak niet meer was dan wat strepen op de grond. Bij een doolhof had je meestal hoge heggen waar je niet overheen kon kijken. Je kon niet door de heggen heen. Je moest eromheen lopen en proberen te onthouden welk stukje van het doolhof je al gehad had. In een doolhof kwam je tegenliggers tegen, waarbij sommigen je omverduwden omdat ze het vinden van de uitgang als een wedstrijd zagen, waarbij er maar één kon winnen.

Bij een labyrint was geen sprake van een wedstrijd. Iedereen liep in zijn eigen tempo. Je kwam elkaar wel tegen. Soms werd je ingehaald, soms haalde je zelf anderen in, maar dat leidde niet tot een competitie wie het het best of het snelst deed. Bij een labyrint kwam je geen tegenliggers tegen. Wel mensen die naast jouw weg in een tegengestelde richting leken te gaan, maar dat bleek later dezelfde weg te zijn die jij nog moest gaan of al gegaan was. Bij een labyrint kon je wel over de lijnen heen stappen, maar dat was uiteraard niet de bedoeling. Dan miste je een essentieel stuk in je groei. Je moest de lijnen volgen. Dat was je weg. Dat was je levenspad. En op die weg kwam je soms onverwachte wendingen tegen. Zoals de ouders van Anneke, die hun dochter ineens moesten missen. Zoals Steven en zij, toen bleek dat Sanne gehandicapt zou worden. Zoals Sanne zelf. Zoals Lobke, die ziek werd. Zoals Roel, die eerst zijn moeder had moeten missen en die zich een toekomst met Lobke anders had voorgesteld. Die wendingen moest je niet uit de weg gaan, maar volgen, want alleen zo kwam

* www.labyrintwerk.nl

je bij het centrum, je kern. En daar werd je opnieuw gevoed, door je Bron.
Ze dacht met een warme glimlach aan de vergelijking die Lobke had getrokken tussen het labyrint en haar ziekte. Lobke had het al begrepen, besefte ze opeens. Lobke was al verder dan zij.

* * *

Ze liep over een grote, witmarmeren vloer. Op de vloer was met zwarte lijnen een reusachtig labyrint getekend. Overal om haar heen bevonden zich mensen in dat labyrint. Ze herkende enkele gezichten: buurman Jan, Frank, haar vader, Els, de bedrijfsleider van de supermarkt, de assistente van de tandarts, Mirjam Foekens. Maar de meeste gezichten kwamen haar niet bekend voor.
Ze keek naar beneden. De lijnen van het labyrint waren duidelijk zichtbaar, wel vijftien centimeter breed, maar nog geen millimeter dik. Ze zou er zo overheen kunnen stappen. Ze keek om zich heen. Iedereen die ze zag, bleef netjes binnen de lijnen lopen. Niemand week van zijn of haar pad af.
Ze keek voor zich uit, zoekend naar de plek waar het centrum van het labyrint zich moest bevinden. Maar het labyrint was zo groot, zo groot...
Toen zag ze ver voor zich uit Lobke lopen, die zich bij haar vandaan leek te bewegen. Ze wilde haar roepen, maar dat leek haar zo oneerbiedig in deze ruimte. Iedereen ging zijn of haar weg zwijgzaam. Het leek erop dat iedereen wist waar hij of zij mee bezig was, behalve zijzelf. Ze wilde over de lijnen stappen, hele stukken van de weg overslaan, zodat ze snel bij Lobke kon zijn, en ze zich niet zo alleen zou voelen.
Plotseling trok er een dichte mist op. Ze vertraagde haar pas, wilde teruggaan, weg uit de mist. Maar dat mocht niet in een labyrint, wist ze. Je mocht alleen maar vooruit. Maar hoe moest ze nu lopen? Ze kon geen hand voor ogen zien. Ze stond stil en keek hulpeloos om zich heen, maar ze zag niets dan dikke, witte wolken om zich heen, die haar als een koude mantel omhulden.

Toen hoorde ze achter zich voetstappen, en even daarna haakte er iemand bij haar in. Ze keek opzij. 'Sanne?'
'Hoi, mam,' zei Sanne, en ze lachte naar haar. Haar heldere stem galmde door de ruimte. 'Ook onderweg?'
Ze keek ongelovig naar de mooie jonge vrouw naast zich. 'Sanne,' zei ze weer.
'Gaaf, hè, zo'n labyrint,' zei Sanne.
Weer kon ze niets anders uitbrengen dan een stamelend: 'Sanne...'
Sanne drukte even haar arm en zei toen: 'Als je stil blijft staan, ga ik verder, hoor, mam. Ik ga naar Lobke. Goede reis. Dag, mam.'
'Niet weggaan,' wilde ze roepen. 'Ik wil met je mee.' Maar Sanne was al verdwenen. Opgelost in de mist. Blijkbaar kon Sanne haar weg wel vinden in de mist...
Ze zakte door haar knieën en stak haar handen uit, tastend naar de lijnen met haar vingers over het kille marmer. 'God,' bad ze. 'Ik wil graag verder lopen in het labyrint van mijn leven. Ik wil ook bij de Bron aankomen. Laat die mist alstublieft optrekken, zodat ik mijn weg weer kan vinden. Ik beloof U dat ik heel de weg zal gaan, en geen stukken meer zal willen overslaan.'
Toen trok de mist op, en hoorde ze een stem die zei: 'Ga maar verder, kind. En weet dat je nooit alleen bent. Ik ben bij je.'
Met de tranen over haar wangen werd ze wakker.

* * *

De volgende morgen belde dokter Evers. 'Ik heb de uitslag binnen van het bloed van Sanne. Er is een *match*.'

19

ZE ZATEN WEER BIJ ELKAAR IN DE SPREEKKAMER VAN DOKTER EVERS. De arts legde het vervolg van de procedure uit. 'Allereerst zullen jullie als ouders en wettelijk vertegenwoordigers van Sanne schriftelijk je toestemming moeten geven. Daarna zal de rechter toestemming moeten verlenen om Sanne donor te laten zijn. Dat is een procedure die vergelijkbaar is met de aanvraag van het mentorschap die jullie destijds al gedaan hebben. Ook dit gaat via de kantonrechter. Sanne zal verder medisch gekeurd moeten worden. Om belangenverstrengeling tegen te gaan zal dat door iemand anders dan door mij moeten gebeuren. Is er een eigen arts verbonden aan de instelling waar Sanne verblijft?'

Hanneke knikte. 'Ja. Hij heet dokter Peters.'

'Dan zal ik een brief schrijven aan collega Peters, waarin ik hem doorgeef welke gegevens we nodig hebben bij die keuring. Hij kent Sanne en haar fysieke conditie al. Dat is prettig. En hij zal als haar arts ook de nazorg voor zijn rekening kunnen nemen. Er moeten verder een hartfilmpje en een longfoto gemaakt worden. Sanne zal naar de tandarts moeten om na te gaan of ze geen sluimerende ontsteking heeft. En er zal – dat zal wel het moeilijkste zijn – een beenmergpunctie gedaan moeten worden om na te gaan of het beenmerg gezond is. Ten slotte wordt er een halve liter bloed afgenomen. Daarvan worden de witte bloedcellen afgescheiden en ingevroren. Een deel ervan wordt gebruikt om te bepalen of de bloedcellen na de transplantatie van Sanne of nog van Lobke afkomstig zijn, en een ander deel wordt gebruikt voor wetenschappelijk onderzoek. De rode bloedcellen worden direct na de beenmergdonatie teruggegeven aan Sanne. Hebben jullie tot zover nog vragen?'

'Ja. Stel dat het allemaal lukt, hebben wij dan nog inspraak bij de vraag hoe Sanne haar beenmerg kan doneren?' vroeg Hanneke. 'Ik heb begrepen dat dat op twee manieren kan.'

'Dat is zo,' zei dokter Evers. 'Tegenwoordig doen we dat meestal via stamcellen uit het bloed, omdat een donor daarvoor niet onder narcose hoeft. Maar in dat geval zal de donor vijf dagen achtereen tweemaal per dag een onderhuidse injectie toegediend moeten krijgen met een groeifactor. Door die injecties neemt het aantal witte bloedstamcellen flink toe, waardoor het beenmerg als het ware 'overloopt', en de cellen uit het beenmerg in het bloed terechtkomen. Via een soort dialyseapparaat – wij noemen dat 'ferese' – halen we die stamcellen uit het bloed. De rest van het bloed gaat meteen terug naar de donor. Zo'n ferese duurt vier tot zes uur, en de donor moet al die tijd op bed blijven liggen. Meestal hebben we genoeg cellen uit één ferese, maar soms moet het de dag erna nog een keer. Ik kan de bijwerkingen en nadelen van deze procedure wel uitleggen, maar als ik het goed begrijp, is zowel het toedienen van de injecties als het ondergaan van de ferese niet aan te bevelen in het geval van Sanne.'

Hanneke en Steven knikten.

'En de andere manier?' vroeg Steven.

'De andere manier is via een beenmergafname,' vervolgde de arts. 'Dat gebeurt in de operatiekamer. Sanne zal daarvoor onder algehele narcose gebracht moeten worden, omdat het een pijnlijke procedure is. We nemen op die dag ook eerst een halve liter bloed af, die Sanne tijdens de beenmergafname terugkrijgt. De hele operatie duurt ongeveer twee uur. Tijdens de narcose wordt uit beide kanten van het bekken van Sanne beenmerg opgezogen. Dat beenmerg wordt in het laboratorium bewerkt en nog diezelfde dag bij Lobke toegediend via een infuus. Sanne krijgt in de loop van de dag de rode bloedcellen terug die in een eerder stadium uit haar halve liter bloed gehaald zijn. De nadelen van deze procedure zijn dat Sanne een paar dagen wat last van een beurs gevoel in haar bekken kan hebben, naast bijwerkingen van de narcose, zoals misselijkheid en moeheid. Ook kan ze wat bloedarmoede krijgen, die echter goed te verhelpen is met een kuurtje ijzertabletten. De hoeveelheid beenmerg die verwijderd wordt, is maar een klein percentage van haar totale hoeveelheid beenmerg, en is binnen een paar weken weer aangemaakt.'

'En hoe gaat de procedure bij mij?' wilde Lobke weten.

'Ik kan me voorstellen dat je daar benieuwd naar bent,' zei de arts.

'Wel, na je derde kuur gaan we je beenmerg opnieuw onderzoeken, en wordt er bloed afgenomen om te kijken hoe jouw bloedcellen reageren op bloedcellen van Sanne. Dan moet er ook bij jou een hartfilmpje worden gemaakt, krijg je weer een onderzoek naar je hart- en longfunctie, en zul je naar de tandarts moeten om te zien of je geen gaatjes hebt, want daar kunnen na de voorbehandeling infecties ontstaan. Daarna krijg je een heel zware behandeling. Eerst begin je weer met diverse medicijnen. Sommige daarvan krijg je al, en andere zijn nieuw, zoals een middel dat tegengaat dat jouw eigen cellen na de transplantatie die van Sanne te lijf gaan omdat ze die als 'anders' herkennen. Daarna krijg je een korte, zware chemokuur, gevolgd door één dag rust, en daarna krijg je twee dagen achter elkaar een totale lichaamsbestraling van ongeveer een uur. Aan het eind van de tweede dag van de bestraling krijg je de gezonde stamcellen van Sanne via een infuus toegediend. Die gaan dan vanzelf naar je beenmerg toe en zorgen ervoor dat alle resterende verkeerde cellen die nog in je beenmerg en je bloed zitten, worden opgeruimd. Je kunt een beetje rillerig en kortademig worden van de transfusie, maar dat trekt meestal vanzelf weer weg. Na een paar weken kunnen we zien of de transplantatie aangeslagen is. Tot voor kort moesten patiënten waarbij het afweersysteem helemaal uitgeschakeld werd, geïsoleerd verpleegd worden, maar daarvan zijn we aan het terugkomen. Tegenwoordig mogen de meeste patiënten zo snel mogelijk terug naar huis, naar een voor hen lichaamseigen omgeving. Nog vragen?'

'En word ik dan beter?' vroeg Lobke.

'Het is nog te vroeg om dat te zeggen,' legde de arts uit. 'Een heel enkele keer doen de nieuwe stamcellen helemaal niets. Omdat je afweer dan ook weg is, heeft dat altijd een dodelijke afloop. Soms krijgen mensen last van een heftige afweerreactie doordat de cellen van de donor de gezonde cellen van de ontvanger gaan aanvallen, maar dat soort reacties is meestal goed onder controle te houden, al kun je je er wel erg ziek van voelen. En heel af en toe kan aan de donor gevraagd worden nog een keer cellen te leveren. Dat hoeven dan geen stamcellen te zijn, maar alleen witte

bloedlichaampjes. Na de transplantatie moet je nog heel lang medicijnen blijven slikken, en moet je vijf jaar voor controle blijven komen, het eerste jaar wekelijks. Als alles goed gaat, zit er steeds meer tijd tussen de controles. En pas na die vijf jaar zullen we kunnen zeggen of je helemaal genezen bent.'
'Maar we zullen dus eerst de gang naar de rechter moeten maken,' zei Hanneke. 'Laten we daar dan maar mee beginnen.'

* * *

Nadat Hanneke en Steven een verzoekschrift hadden ingediend bij de kantonrechter, kregen ze een uitnodiging om naar de hoorzitting te komen. Ook dokter Evers was daarbij aanwezig.
De rechter opende de zitting en zei: 'U hebt een aanvraag ingediend om uw wilsonbekwame dochter Sanne Dorothea Schrijver beenmergdonor te laten zijn voor uw andere dochter Lobke Evelien Schrijver. Als ik het goed begrepen heb, heeft Lobke een levensbedreigende ziekte?' Hij keek over zijn bril naar dokter Evers.
Die knikte en legde vervolgens aan de rechter uit wat de diagnose bij Lobke was en wat de behandelingen tot nu toe waren geweest. 'Het is voor Lobkes genezing van levensbelang dat zij gezonde beenmergcellen toegediend krijgt van een HLA-identieke donor, liefst van een directe zus, en Sanne is zo'n donor. We hebben Lobke daarnaast ingeschreven bij de wereldwijde donorbank, maar dat heeft tot nu toe niets opgeleverd. Lobke gaat straks aan haar derde kuur beginnen, en daarna zou de beenmergtransplantatie moeten plaatsvinden.'
'Onze andere dochter Aafke wilde graag donor zijn, maar zij was helaas niet HLA-identiek,' zei Hanneke.
'Wel,' vervolgde de rechter, 'om toestemming te verlenen tot de donatie moet er aan drie voorwaarden voldaan worden. Ten eerste moet er sprake zijn van bloedverwantschap in de eerste of de tweede graad. Dat is hier het geval. Daarnaast moet er bij de bloedverwant sprake zijn van een levensbedreigende ziekte, en dokter Evers heeft me bevestigd dat de ziekte van Lobke levens-

bedreigend is. Ook moet de donatie van de wilsonbekwame persoon de enige mogelijkheid zijn om beter te worden. Is te verwachten dat er uit de wereldwijde donorbank een geschikte donor zal komen?' Weer keek hij naar dokter Evers.
Die schudde zijn hoofd. 'Alle beschikbare donoren zijn gecheckt, maar tot nu toe heeft dat helaas niets opgeleverd. Er is maar een minieme kans dat zich in de komende zes weken iemand meldt die HLA-identiek zal blijken te zijn.'
'Dat is dan voorwaarde twee,' vervolgde de rechter. 'De laatste voorwaarde is: de donor, Sanne dus, moet er aanmerkelijk belang bij hebben dat het levensgevaar van Lobke wordt afgewend. Hoe is de relatie tussen Lobke en Sanne?' Deze keer keek hij over zijn bril naar Steven en Hanneke.
Die hadden de vraag verwacht. Hanneke haalde foto's tevoorschijn waarop te zien was hoe Lobke en Sanne elkaar omhelsden, hoe ze aan het stoeien waren, waarbij Sanne zichtbaar genoot, en hoe ze samen aan het spelen waren, waarbij ze zo te zien volledig in hun spel opgingen. Ook vertelde Hanneke: 'Toen Lobke nog maar net ziek was, mocht Sanne een tijdje niet thuiskomen omdat er griep heerste op de afdeling waar zij woont. Sanne heeft daar echt onder geleden. Haar persoonlijk begeleider heeft er toen voor gezorgd dat ze via een webcam toch contact met elkaar konden hebben. Het was erg ontroerend om te zien hoe Sanne reageerde op het feit dat ze Lobke weer zag. We hebben aan haar begeleider gevraagd of hij als getuige zou willen optreden, en als u dat wilt, kunt u bij hem navraag doen naar de relatie tussen Sanne en Lobke. Wij denken zelf dat Sanne er een groot belang bij zal hebben dat Lobke door haar toedoen zou blijven leven. Net zoals Lobke haar aandeel zou willen leveren als de situatie andersom zou zijn.'
De volgende vraag van de rechter was: 'Hoe zou Sanne reageren op de behandeling zelf, dus op het leveren van het beenmerg?' Hierbij keek hij weer naar de arts. 'Hoe gaat dat in z'n werk?'
Dokter Evers legde uit: 'Stamcellen kunnen we op twee manieren verkrijgen. Ten eerste door het toedienen van groei stimulerende medicatie gedurende vijf dagen, waarna we de stamcellen via een

soort dialyse uit het bloed verwijderen, iets wat ongeveer vier uur duurt. Ten tweede door middel van een twee uur durende operatie onder volledige narcose, waarbij beenmerg rechtstreeks opgezogen wordt uit het bekken. In het geval van Sanne zou dat de voorkeur verdienen. Daar hebben we het met beide ouders al over gehad.'

'En risico's en bijwerkingen van die operatie?'

'De risico's zijn niet groter dan bij andere operaties. Van de beenmergdonatie zelf zal ze weinig andere bijwerkingen hebben dan een paar dagen een beurs gevoel, en misschien een lichte bloedarmoede, die goed te behandelen is. Van de narcose kan ze korte tijd misselijk en suf zijn.'

'Dat zijn de lichamelijke gevolgen van de beenmergafname,' zei de rechter. 'Maar hoe zal ze daar psychisch op reageren?' Hij keek hierbij weer naar Steven en Hanneke.

Hanneke had besloten open kaart te spelen. 'Daar zal ze een paar dagen, misschien zelfs weken, erg overstuur van zijn,' zei ze eerlijk. 'Sanne is al eens eerder geopereerd, en daardoor was ze ook een week van slag. Ook kan ze panisch reageren op bloed en pijn. Daar hebben we het met elkaar over gehad. Lobke heeft zelfs gezegd dat zij dat Sanne niet wilde aandoen. Maar wij zijn ervan overtuigd dat Sanne, als ze gewoon gezond was geweest, die pijn er graag voor overgehad zou hebben als ze daarmee haar zusje zou kunnen helpen.' Ze haalde wat hulpeloos haar schouders op. 'Dit was zo'n moeilijke beslissing! Ik bedoel... Natuurlijk willen we niet dat Sanne nodeloos pijn lijdt, en schrikken we allemaal met haar mee wanneer zij schrikt van pijn of bloed. Maar... in dit geval... Dat moet u toch begrijpen.' Ze keek de rechter smekend aan.

Toen nam Steven het woord. 'Wij hebben alle voors en tegens tegen elkaar afgezet,' zei hij. 'Wij willen Sanne niet opzettelijk pijn doen. Maar zij is de enige die Lobke kan helpen beter te worden. Andere mogelijkheden zijn er niet. Als die er waren geweest, zaten we nu niet hier. Sanne zal van slag zijn. Dat weten we. Niet alleen van de operatie, maar ook van de onderzoeken die eraan voorafgaan. Sanne zal een tijdje napijn hebben. Dat weten we ook. Maar dat zal allemaal min of meer 'vanzelf' overgaan, met liefde en aandacht. Die ziekte van Lobke gaat niet vanzelf over, hoeveel liefde en aandacht we haar ook zullen geven. U mag erop vertrouwen dat wij alles in het werk zullen stellen om Sanne zo goed mogelijk door het hele proces heen te helpen, net zoals we ons best doen om Lobke bij te staan. Lobke heeft geen keus. Dit overkomt haar, en al zullen we haar zo goed mogelijk begeleiden, ze zal er zelf doorheen moeten. Die moed heeft ze. Dat heeft ze al laten zien. Sanne heeft wel een keus. Althans, wij zullen die keus voor haar moeten maken. Een onmogelijke keus, lijkt het, in ieder geval voor ons. Maar we zijn er voor honderd procent van overtuigd dat Sanne, als ze zelf de keuze zou kunnen en mogen maken, de pijn en het ongemak van de operatie met liefde zou willen ondergaan als ze daardoor kan helpen haar zus beter te maken.'

De rechter knikte. 'U heeft uw standpunt duidelijk gemaakt. Ik zal mij beraden en zo nodig meer informatie inwinnen. Binnen veertien dagen zal ik uitspraak doen.'

* * *

Lobke was aan haar derde kuur begonnen. Haar bloed was bij de volgende controle wel goed genoeg geweest. Haar haar was nu bijna helemaal uitgevallen. Ze wilde tot nu toe geen pruik, vond dat maar 'gedoe', en bond iedere dag een rode boerenbonte zakdoek om haar hoofd met de strik vanachter, wat haar witte gezichtje iets pittigs gaf. Ze was erg moe, lag veel op bed, kwam nauwelijks tot iets anders. Ze had last met slikken en had moeite met het innemen van haar medicatie. Zelfs voor beeldhouwen had ze weinig puf.

Hanneke wilde haar zo min mogelijk alleen laten. Ze was nu helemaal gestopt met het werk in de winkel van Els, zodat ze al haar tijd aan Lobke kon besteden.

Toen Roel na schooltijd een keer langskwam, vroeg Hanneke hem: 'Lobke slaapt nu. Ik wil eigenlijk even naar Sanne, wat schone was brengen. Wil jij hier blijven totdat ik terug ben?'

Roel knikte. 'Natuurlijk. Doet u maar rustig aan. Ik vermaak me wel.'

Hanneke zette de mand met schone was in de auto en vertrok. Ze probeerde te genieten van het ritje. Zo vaak kwam ze niet meer buiten dezer dagen. Ze draaide het raampje open en snoof de frisse buitenlucht op. Hè, heerlijk. Het was rustig op de weg, en ze nam de gelegenheid waar om om zich heen te kijken. De bomen waren nu helemaal kaal.

Ze had bomen altijd heel bijzonder gevonden, als kind al. In het voorjaar, wanneer de nieuwe babyblaadjes een teer groen waas over de takken brachten. In de zomer, wanneer de wind zacht door de bladeren blies en daarmee de bomen geheimzinnig liet fluisteren. In de herfst, wanneer het groen langzaam veranderde in prachtig rood, geel en bruin, waarna de afgevallen bladeren een dikke laag op de grond vormden die zo'n heerlijke kruidige geur afgaf. En in de winter, wanneer het leek alsof de boom dood was, maar waarin ze wist dat de boom nieuwe krachten opdeed om in het voorjaar opnieuw te kunnen uitlopen.

Kale bomen hadden voor haar een specifieke charme. Kale bomen staken hun naakte takken als opgeheven armen in de lucht, alsof ze wilden zeggen: kijk maar, ik heb niets te verbergen. Ze deden haar denken aan een bloedvatenstelsel dat zich steeds verder vertakte. Soms zag ze figuren in een kale boom: een ballerina met één opgeheven been, of twee spelende kinderen, of een kromgegroeid oud mannetje.

Ze draaide haar auto het terrein van de instelling op en parkeerde hem voor De Roos. Ze lachte even. Het ritje had haar goedgedaan.

De bewoners waren om deze tijd allemaal naar therapie. Het was dus erg rustig op de afdeling. In het 'aquarium' zat Sara te werken.

'Hoi, Saar. Hoe is het?' Hanneke zette de wasmand op de grond.

Sara keek even op. 'Goed hoor, dank je.' Daarna ging ze meteen verder met schrijven, alsof Hanneke niet meer bestond.

Hanneke keek verbaasd. Dat was niks voor Sara. Die was altijd in voor een praatje. 'Druk?' vroeg ze toen.

Sara ging gewoon door met schrijven. 'Valt wel mee.'
'Is Sanne naar therapie?'
'Ja.'
Hanneke snapte er niks van. Ze besloot eerst de was maar weg te brengen. Ze liep naar het kamertje van Sanne, deed de schone was in de kast en daarna de vuile was in de mand om mee terug te nemen. Toen liep ze weer naar de verpleegunit. Sara zat nog steeds driftig te schrijven en keek niet op.
'Nou, dan ga ik maar weer,' begon Hanneke.
Een licht knikje. 'Oké. Doei.'
Maar Hanneke liet het er niet bij zitten. 'Is er iets?'
Sara zuchtte even en keek haar toen stug aan. 'Hoezo?'
'Nou, je bent zo... zo afstandelijk. Niks voor jou.'
Sara hield op met schrijven. Ze haalde haar schouders op en staarde naar het prikbord, alsof daar het antwoord op de vraag te vinden was.
Hanneke deed weer een poging. 'Kom op, Saar, zo gaan we niet met elkaar om. Voor de draad ermee. Zijn er problemen met Sanne?'
'Nog niet,' was het raadselachtige antwoord van Sara.
Hanneke zette de wasmand neer, pakte er een stoel bij en ging tegenover Sara zitten. 'Wat bedoel je met 'nog niet'?' Hanneke schrok van de blik waarmee Sara haar aankeek. 'Je bent boos,' constateerde ze, toen Sara nog steeds stug haar mond hield. 'Op mij?'
Sara keerde haar blik weer naar het prikbord. Het was alsof ze Hanneke niet wilde aankijken toen ze antwoord gaf. 'Ik ben het niet eens met wat jullie met Sanne gaan doen.'
Bij Hanneke begon iets te dagen. 'Bedoel je die beenmergdonatie?' Ze zocht Sara's blik.
'Ja.' Sara leek even na te denken. Toen keek ze Hanneke aan en barstte los: 'Ik snap best dat het hartstikke akelig voor jullie is dat Lobke leukemie heeft. Dat lijkt me ook vreselijk. Maar dat jullie nu Sanne gaan gebruiken als een soort... een soort cellenfabriek, dat vind ik te ver gaan. Jullie weten net zo goed als wij dat Sanne van alles wat met pijn en bloed te maken heeft, in paniek raakt.

Hoe kunnen jullie haar dat willens en wetens aandoen?'
Hanneke voelde een merkwaardige kalmte over zich neerdalen. Ze haalde diep adem en zei: 'Denk je niet dat wij dat ook allemaal al bedacht hebben?'
'Dat zal best,' reageerde Sara, 'maar jullie laten het belang van Lobke blijkbaar zwaarder wegen dan dat van Sanne. Wie komt er op voor de belangen van Sanne? Zij kan dat niet zelf.'
Hanneke werd overspoeld door tegenstrijdige gedachten en gevoelens. Pijn in haar hart door de aanval van Sara, die haar eerdere kwetsbaarheid als moeder die voor een onmogelijke keuze stond, weer voelbaar maakte. Een drukkend gevoel op haar schouders door de last die ze toch ervaarde om wat Sanne ging overkomen. Begrip voor de verontwaardiging van Sara, zelfs een vreemde blijdschap daarover, omdat Sara opkwam voor Sanne. De loden last van de vermoeidheid door de afgelopen spannende maanden. Twijfel? Nee, geen twijfel meer. Dit was de weg die ze als gezin gingen, met alle pijn die daarbij hoorde. Zelfs Sanne had als volwaardig lid van hun gezin recht op het delen in hun gezamenlijke pijn. Maar ze miste op dit moment de energie om dat uit te leggen en daarover met Sara in discussie te gaan. Ze stond op en zei: 'Sara, ik heb meer begrip voor je dan je denkt, en dank je wel dat je opkomt voor Sanne, maar ik ga hierover niet met je in discussie. Daarvoor ontbreekt me op dit moment echt de energie, en die heb ik de komende tijd nog hard genoeg nodig.' Ze knoopte haar jas dicht, pakte de wasmand op, knikte Sara gedag en verliet het gebouw.
In de veilige beslotenheid van haar auto kwamen toen toch nog de tranen.

* * *

Thuis zaten Lobke en Roel gespannen op haar terugkomst te wachten. 'Er is post van de rechtbank.'
Met haar jas nog aan scheurde Hanneke met trillende handen de envelop open. Haar ogen vlogen langs de regels. Toen keek ze Lobke aan. 'We hebben toestemming. Sanne mag donor zijn.'

20

WEER ZATEN ZE BIJ ELKAAR TEGENOVER DOKTER EVERS.

'Binnenkort is het zover,' zei hij. 'Lobke heeft de derde kuur goed doorstaan, en de uitslagen van haar bloed zijn dusdanig dat we goede hoop hebben dat de kuren aanslaan. Waar we nu voor bij elkaar zitten, is een datum vast te stellen waarop Lobke de laatste en zwaarste kuur zal krijgen, waarna de transfusie van de stamcellen van Sanne kan plaatsvinden. Hoe is het nu met Sanne?'

'Ze heeft weinig last gehad van de bloedafname. Daar heeft haar begeleider hetzelfde trucje uitgehaald als eerst, en dat werkte weer,' zei Hanneke. 'Het maken van het ECG lukte ook met hetzelfde trucje. Dat kon gelukkig na de bloedafname op het lab gebeuren, zodat Sanne niet opnieuw naar een andere ruimte hoefde. De longfoto maken gaf wat meer problemen, vooral doordat Sanne erg angstig werd van al die vreemde apparaten, en doordat ze tijdens het maken van de foto even alleen in haar rolstoel moest blijven zitten. Het tandartsbezoek was weer een drama, maar dat is iets wat ieder halfjaar terugkomt. We beschouwen dit maar als haar eerstvolgende controle. Het moeilijkste was de beenmergpunctie. Dat beenmerg haalden ze uit haar bekken, en dat gebeurde dus achter haar. Ze was weliswaar plaatselijk verdoofd, maar ze vond het maar niks. Tim heeft alles uit de kast moeten halen om haar rustig te krijgen, en ze heeft er twee nachten slecht van geslapen. Waarschijnlijk heeft ze ook wat pijn gehad op die plek. Maar nu gaat het weer goed, al is ze nog wel wat angstig.'

'En hoe is het nu met jou, Lobke?' vroeg de arts.

'Wisselend,' gaf Lobke toe. 'De ene dag wat beter dan de andere. Ik ben vaak heel erg moe, en af en toe nog flink misselijk. Maar ik houd het wel vol,' besloot ze dapper.

'Ik wil jullie een voorstel doen,' zei dokter Evers toen. 'De feestdagen staan straks voor de deur. Als we de laatste kuur en daarna de transplantatie nu eens over drie weken doen, in de eerste week van het nieuwe jaar. Dan heb jij nog een aantal weken de tijd om aan te sterken, Lobke, en het geeft jullie de gelegenheid om samen leuke dingen te doen. Wat vind je daarvan?'

Ze keken elkaar aan.

'Goed idee. Kan dat, wat Lobkes bloed betreft?' vroeg Steven.

De arts knikte. 'Ik zou zeggen: ga maar alvast plannen maken.'

Toen ze de spreekkamer uit liepen, zei Steven tegen Aafke: 'Moet jij meteen terug naar je werk of kun je nog even mee, een kopje koffie drinken in het restaurant?'

Aafke hoefde daar niet lang over na te denken. 'Ik heb tegen mijn leidinggevende gezegd dat ik niet wist hoelang het gesprek zou duren, maar dat ik uiterlijk om halfeen terug zou zijn. Het is pas elf uur. Ik kan dus wel mee.'

Ze liepen gearmd naar het restaurant. Daar namen Hanneke en Steven een cappuccino, en Aafke en Lobke een fruitsapje.

Toen ze aan een tafeltje zaten, zei Steven: 'Dokter Evers heeft me op een idee gebracht. Als we nu eens zouden proberen er met z'n allen een weekje tussenuit te gaan. Even helemaal weg van hier. Even geen ziekenhuis, geen dokters, maar een heel andere omgeving. Omstreeks deze tijd is het niet zo druk op mijn werk, en misschien kan Aafke ook wel vrij nemen. We zouden het zelfs in Roels kerstvakantie kunnen plannen, zodat hij ook mee kan. Wat vinden jullie ervan?'

De ogen van Lobke begonnen te stralen. 'Dat zou fantastisch zijn. Ik weet meteen al waar ik naartoe zou willen. Naar York, in het noorden van Engeland. Joyce is daar vorig jaar met Kerstmis naartoe geweest met haar ouders en haar broers, en die was dolenthousiast over de Anton Pieck-achtige straatjes in kerstsfeer. Dat lijkt me gaaf!'

Ook Aafke en Hanneke reageerden enthousiast op het plan van Steven.

'De kathedraal daar schijnt heel mooi te zijn,' wist Hanneke.

'Kunnen opa en oma ook mee, en misschien zelfs Sanne?' vroeg Lobke.

'Laten we eerst maar eens aan opa en oma gaan vragen of die zelf geen plannen hebben voor de feestdagen,' vond Hanneke. 'Maar Sanne mee zou ik ook wel fijn vinden.'

'Misschien kan Tim dan wel mee, als begeleider van Sanne,' zei Aafke. De manier waarop ze dat zei, deed Hanneke even opmerkzaam naar haar oudste dochter kijken. Tim en Aafke? Ze hadden erg gezellig met elkaar zitten praten op de verjaardag van Lobke, maar ze had Aafke verder niet meer over Tim gehoord. Aafke zag dat Hanneke naar haar keek. Ze bloosde licht.
Lobke zag het ook. Ze keek haar zus lachend aan. 'Ja, dat zou fijn zijn voor Sanne. En misschien ook nog wel voor iemand anders...'
Hanneke keek van de een naar de ander. Had ze iets gemist? Zo te zien wist Lobke meer. 'Vertel eens?' vroeg ze.
Maar Aafke bracht het onderwerp snel op iets anders. 'Wanneer zouden we dan gaan? Dan kan ik dat straks meteen vragen op mijn werk.'
Steven pakte zijn agenda en deed die toen weer dicht. 'Laat ik straks eerst maar eens kijken of er iets te regelen valt, een lastminuteaanbieding of zoiets. Hanneke, als jij dan naar pa en ma belt of ze meewillen of dat ze andere plannen hebben, en Lobke, als jij dan naar Roel belt wanneer het hem uitkomt, want misschien heeft hij al afspraken met zijn vader gemaakt. Dan hebben we het er vanavond verder over.' Hij stond op. 'En dan ga ik nu. Tot vanavond.' Hij kuste zijn vrouw en dochters gedag.
Ook Aafke stond op. 'Hè, lekker een weekje vakantie,' zei ze. 'Ik heb er nu al zin in. Ik kom vanavond wel bij jullie eten. Is dat goed? Kan ik meteen horen of het pap gelukt is iets te boeken.'
Hanneke en Lobke liepen zwijgend naar de auto.
Onderweg naar huis vroeg Hanneke het dan toch: 'Hebben Aafke en Tim iets met elkaar?'
'Nog niet, maar Aafke vindt Tim wel erg leuk, en volgens mij ziet hij haar ook graag,' babbelde Lobke. Voor haar had het onderwerp toen afgedaan, want ze vervolgde: 'Ik ben benieuwd wat pap voor bestemming vindt voor onze vakantie. Ik vind het zo leuk.' Ze had blosjes op haar wangen van de opwinding.
Thuisgekomen belde ze meteen naar Roel, maar die had blijkbaar les, want ze kreeg zijn voicemail. 'Roel, bel me zo spoedig mogelijk terug. Nee, niks vervelends, iets leuks,' voegde ze er snel aan toe. 'Anders denkt hij dat er iets ergs aan de hand is.'

Daarna belde Hanneke naar opa en oma De Bont. Die hadden nog geen uitgewerkte plannen.
'We gaan graag mee,' aldus opa. 'En we maken er een feestje van.'

* * *

Steven liet 's avonds zien wat hij allemaal gevonden had op internet. 'Het viel me niet tegen wat er allemaal nog was,' zei hij. 'York gaat wel lukken. Hotels waren over het algemeen volgeboekt, maar er waren nog wel diverse appartementen in de buurt van York beschikbaar. Ik heb gekeken naar een vakantiehuis voor tien personen. Dan kan iedereen mee. De huur gaat van zaterdag tot zaterdag. We zouden dus vrijdag heen moeten met de nachtboot, en zaterdag terug. Ik heb ook gebeld of er nog plaats was op de nachtboot van Rotterdam naar Hull. Dat kostte wat meer moeite: op de heenweg zou het nog wel gaan, maar op de zaterdag terug waren alle hutten al volgeboekt. Dus zouden we vrijdag al terug moeten. Ik heb alvast vijf tweepersoons hutten laten vastleggen, en ik heb beloofd dat vanavond nog definitief te bevestigen. Wat vinden jullie ervan?'
'Opa en oma kunnen mee. En Roel ook. Die heeft de vrijdag voor de vakantie maar tot twaalf uur les, zodat hij daarna meteen door kan naar ons. Alleen hebben we nog niet gevraagd of Sanne en Tim mee kunnen. Wie doet dat?' Lobke keek daarbij plagend lachend naar Aafke.
Maar Hanneke schoot haar te hulp. 'Zal ik bellen? Volgens mij heeft Tim vanavond late dienst. Wacht even. Ik doe het meteen wel.' Ze liep naar de telefoon en toetste het nummer van De Roos in.
'Hallo, met Hanneke Schrijver. Is Tim in de buurt?' Ze wachtte even. 'Hoi, Tim, met Hanneke Schrijver. Hoe is het met Sanne? ... Gelukkig. ... Ja, met Lobke is ook alles goed. We zijn vanmorgen naar het ziekenhuis geweest, en ze krijgt nu drie weken vrij. Begin volgend jaar is dan de laatste kuur, en daarna de transplantatie. ... Ja, dat wordt ook spannend voor Sanne. ... Tim, even een vraagje. Dokter Evers stelde vanmorgen voor in de komende

weken allemaal leuke dingen te doen, en toen kwam Steven op het idee om er even tussenuit te gaan. Nu wil Lobke graag naar York – nee, niet New York, maar York, in Engeland – en Steven heeft een appartement kunnen regelen voor een week, vanaf aanstaande zaterdag. Dan zouden we vrijdagavond met de boot heen gaan, en de andere zaterdagochtend terug kunnen komen. Nu zou Lobke het helemaal te gek vinden als Sanne ook mee zou gaan, en daarom wilden we aan jou vragen of jij het ziet zitten Sanne daarbij te begeleiden. ... Ja, ik snap dat je daarover even moet nadenken. ... Ja, we gaan allemaal mee, ook Roel, en opa en oma De Bont. ... Ja, Aafke ook. ... Hoeveel bedenktijd heb je nodig? ... Ja, ik begrijp dat je dat ook nog met het rooster rond moet zien te krijgen, maar Steven moest vanavond bellen om de hutten vast te leggen. Wanneer kan ik je bellen? ... Vanavond om halftien? Oké. Ik bel je vanavond terug. Dag, Tim.' Hanneke legde de telefoon neer. 'Vanavond om halftien kan ik bellen of hij meegaat.'

'Ja, dat hadden we al begrepen,' zei Lobke droogjes. 'Hoe was het met Sanne?'

'Goed. Ze had geen pijn meer en zat weer wat lekkerder in haar vel volgens Tim.'

'Hè, gelukkig,' zei Lobke. 'Ik hoop zo dat ze mee kan. Het is lang geleden dat we met z'n allen op vakantie zijn geweest.'

'Even een praktische vraag: hoe gaan we dat doen met de auto's?' vroeg Aafke. 'Ik rijd wel graag, maar ik heb nog nooit links gereden.'

'Daar heb ik vanmiddag al met opa over gebeld,' zei Hanneke. 'Opa ziet dat wel zitten. Hij heeft weleens vaker in Engeland gereden. Wij hebben een brede auto, dus bij ons kunnen er wel drie achterin. Dan hebben we aan twee auto's genoeg. Nu maar afwachten wat Tim straks te vertellen heeft.'

Om halftien belde Hanneke Tim opnieuw. 'Hoi, Tim, met Hanneke Schrijver weer. Weet je al iets? ... Ja? Geweldig. Hartstikke fijn dat je mee kunt.'

Lobke hoorde het en schreeuwde: 'Wauw. Gaaf, Tim.'

Hanneke maakte verdere afspraken met Tim en legde toen de

hoorn neer. Haar ogen schitterden. 'We gaan met z'n allen op vakantie.'

* * *

Ze hadden een fantastische week in York. De vakantiebungalow was ruim opgezet, met vijf slaapkamers en twee badkamers. Aafke en Lobke sliepen samen op een kamer, Roel en Tim deelden een kamer, en Sanne had een kamer voor zich alleen. Om beurten namen ze de zorg voor Sanne op zich, zodat Tim ook een echt vakantiegevoel had.
York bleek inderdaad een prachtige stad. De vele winkels in de talloze smalle straatjes hingen vol kerstversiering, op de hoeken van de straten stonden diverse koortjes te zingen, er stonden kraampjes met warme wafels.
Terwijl oma op Sanne paste, liepen de anderen over de brede muur om de stad.
'Deze muur is bijna tweeduizend jaar oud,' wist Steven te vertellen.
Lobke keek om zich heen. Ze vond het allemaal geweldig. 'Hé, kijk eens, eekhoorntjes. Niet zulke rode als bij ons, maar zoals Knabbel en Babbel, met zo'n witte streep over hun rug.'
Steven keek naar haar. Ze had gelukkig weer wat kleur gekregen door het vele buiten zijn. De laatste tijd zag ze wel erg wit. Ze leek geen tekenen van vermoeidheid te vertonen.
Hanneke had echter wat last van haar voeten. Ze wees naar een trap aan de zijkant van de muur. 'Vinden jullie het goed als we hier ergens even wat gaan drinken?' vroeg ze. 'Ik ben versleten.'
'Nou, vooruit dan maar. Maar niet te lang, hoor. Ik wil zo nog naar de kathedraal,' zei Lobke. Maar eenmaal binnen was ook zij blij dat ze even zat. Ze strekte haar benen en zuchtte vergenoegd bij het zien van de warme chocomelk met slagroom die ze besteld had. 'Mmm, dat ziet er lekker uit.'
'Je bent een lekkerbek,' plaagde Roel.
Maar Lobke reageerde meteen: 'Daarom ben ik ook zo gek op jou.'

Er volgde een stoeibui, gevolgd door het geroep van Steven: 'Hé, voorzichtig met mijn koffie.'
Eenmaal uitgerust vervolgden zij hun weg over de muur. Toen ze bij de Minster aangekomen waren, de grote kathedraal van York en een van de grootste gebouwen ter wereld, besloten ze die eerst vanbinnen te bezichtigen.
'Wat een prachtige glas-in-loodramen,' verzuchtte Hanneke. Met open mond liep ze de kerk rond.
Binnen waren diverse kinderkoortjes aan het repeteren, waarschijnlijk voor de kerstviering van hun school. Het was een drukte van belang.
Lobke liep naar voren. Juist in deze ruimte had ze behoefte aan stilte, maar die leek hier, met al die mensen, ver te zoeken. Toen viel haar oog op een opening in de muur. Ze trok Roel aan zijn jas. 'Hé, kijk eens, daar kun je de toren beklimmen. Zullen we dat gaan doen?'
Roel wilde wel mee, en ook Aafke en Tim wilden de klim wel wagen.
Hanneke, Steven en opa besloten de schatkamer en de crypte met een bezoek te vereren.
Hanneke vroeg bezorgd: 'Is dat geklim niet te zwaar voor je?'
Maar Lobke zei luchtig: 'Ben je mal. Ik doe wel rustig aan, hoor. Alle tijd.'
Achter elkaar aan beklommen ze de smalle wenteltrap. Eenmaal boven bewonderden ze het uitzicht. Er stond een frisse wind, maar het was erg helder, en ze konden daardoor ver kijken. Daarna liepen ze de trap weer af naar beneden.
Toen ze halverwege waren, stond Lobke ineens stil. 'Voel je dat?' zei ze.
Het orgel was gaan spelen. Ze voelden de trillingen van het brommende timbre langs hun voeten en benen omhoogtrekken. Ademloos stonden ze te luisteren. Het was alsof ze alle vier meeresoneerden met het geluid van het orgel. Ze herkenden de melodie: *Hark, the herald angels sing.*
Bij Lobke liepen de tranen over haar wangen. Ze was op een van de treden gaan zitten en zocht Roels hand. Met haar ogen dicht

volgde ze deinend de maat van de muziek. Ze leek de melodie geluidloos mee te neuriën. De anderen volgden haar voorbeeld en zochten een plaatsje op de trap.
De organist voerde het tempo en het volume op. Het geluid vulde de smalle ruimte, alsof dit een privéconcert voor hun vieren was. De muziek vulde hun hele lichaam en raakte hun harten, tot het daverende slotakkoord: *Glory to the new-born King!*
Nadat het laatste akkoord weggestorven was, bleven ze allemaal nog even zwijgend zitten.
Toen opende Lobke haar ogen, en ze zei zacht: 'Dat was een prachtig cadeau. Dank u wel, Heer.' Ze keek naar Roel. 'Mooi was dat, hè?'
Die knikte zwijgend. Hij pakte Lobkes hand en streelde die zacht. Ze hadden allemaal zichtbaar moeite om de breekbare sfeer te doorbreken en nu zomaar op te staan en verder te lopen. Alsof ze dit bijzondere moment allemaal wilden vasthouden. Toen hoorden ze voetstappen en geluiden van stemmen. Er kwamen een paar kinderen de trap op. Ze stonden op en lieten de kinderen passeren, waarna ze weer langzaam de wenteltrap afdaalden. In de kerk ontmoetten ze Hanneke, Steven en opa, die vol bewondering spraken over de prachtige voorwerpen die ze in de schatkamer gezien hadden.
'Hoe was het boven?' vroeg opa.
'Het uitzicht was schitterend. Doordat het helder was, konden we heel ver kijken. Maar toen we op de terugweg waren gebeurde er iets heel bijzonders,' zei Lobke, en ze vertelde wat hun was overkomen.
Hanneke keek naar Lobke en zag haar stralende ogen. Dit uitje had Lobke goedgedaan. Dat was wel zeker. Maar ook zijzelf genoot van het samenzijn met al die mensen die haar zo dierbaar waren. Ze keek naar Tim.
Die leek zich goed op zijn gemak te voelen in hun gezelschap. Hij paste zich makkelijk aan en was zowel voor de jongelui als voor de ouderen van het gezelschap een gezellige gesprekspartner. Daarnaast zorgde zijn aanwezigheid in de voor Sanne toch ongewone omgeving ervoor dat ook Sanne genoeg vertrouwde

mensen om zich heen had om het zichtbaar naar haar zin te hebben.
Ze kochten voor oma een mooie kaars in het souvenirwinkeltje van de Minster en reden daarna terug naar het vakantiehuis.
Oma stond al te wachten in de deuropening. Ze hield haar vinger tegen haar lippen. 'Sst, Sanne slaapt.'
Zo stil mogelijk liepen ze naar binnen en deden ze hun jassen uit. Oma zorgde voor koffie en thee, en Lobke ging daarna een poosje op bed liggen.
'Heb jij het ook nog een beetje naar je zin, Tim?' vroeg Steven.
Tim knikte. 'Ik ben meegegaan voor Sanne, maar het lijkt voor mij ook wel vakantie, want jullie zorgen allemaal net zo goed voor haar.'
Ze hoorden gestommel in de kamer van Sanne, en daarna haar stem: 'Wakker!'
Tim lachte: 'Ze hoorde vast dat we het over haar hadden.' Hij stond op en liep naar Sannes kamer toe.
'Wat een alleraardigste jongen,' vond oma.
Opa viel haar bij. 'Nou, daar heeft Sanne het mee getroffen.'
Hanneke keek naar Aafke. Die zei niets, maar de glanzende blik in haar ogen sprak boekdelen...

21

ZONDAG, NIEUWJAAR.
Hanneke stond voor het raam.
Buiten zag de straat rozerood van de resten van het vuurwerk van de afgelopen oudejaarsnacht. Er scharrelde wat opgeschoten jeugd tussen, op zoek naar niet-afgegaan vuurwerk. Ondanks allerlei reclamespotjes over de gevaren van dergelijke 'blindgangers' bleven er altijd kinderen die de risico's blijkbaar op de koop toe namen.
Steven en Aafke waren Sanne halen.
Lobke lag nog in bed. Gisteren was ze begonnen met het slikken van de nieuwe medicijnen, waar erg grote pillen bij zaten die moeilijk door te slikken waren. Morgen en overmorgen zou ze de laatste chemokuur krijgen, daarna een dag niets, en daarna zouden de bestraling en ten slotte de beenmergtransplantatie plaatsvinden.
Hanneke zuchtte. De komende vijf dagen zouden de zwaarste van haar leven worden, wist ze. Bij twee van haar dochters stond iets ingrijpends te gebeuren. Bij Lobke, bij wie door de laatste chemo en de totale lichaamsbestraling haar hele afweersysteem plat zou komen te liggen. En bij Sanne, die een operatie moest ondergaan. En dan was het nog niet eens zeker dat Sannes beenmerg zou aanslaan, en dat Lobke daardoor zou herstellen. Dokter Evers had hun voorgehouden dat er een kleine kans bestond dat het nieuwe beenmerg niet zou aanslaan. 'In dat geval kunnen wij helaas niets meer betekenen.'
'Heer,' bad ze hardop, 'laat het alstublieft niet voor niets zijn.'
Toen rechtte ze haar schouders. Sinds haar droom van het labyrint had ze de ijzeren klauw om haar maag niet meer gevoeld. Natuurlijk waren de zorgen niet verdwenen, maar de angst was wel weg. Die had plaatsgemaakt voor vertrouwen. Geen onvoorwaardelijk vertrouwen in een goede afloop, al hoopte ze daar natuurlijk wel op, maar vertrouwen dat ze hun weg niet alleen hoefden te gaan, waarheen die weg ook leidde. Vertrouwen dat

hun Schepper met hen mee reisde, met ieder op zijn of haar plek in het labyrint van het leven.
Ze zag de auto aankomen en zwaaide naar Sanne, die uitbundig terugzwaaide. Toen draaide ze zich om en ging Lobke wekken.

* * *

De volgende morgen meldden ze zich met z'n allen in het ziekenhuis. Sanne was er ook bij. Die zou de hele week bij hen blijven logeren.
Aafke had gevraagd of zij ook de hele week kon blijven slapen. 'Ik wil zo graag dicht bij jullie zijn deze dagen. Op mijn werk zijn ze allemaal hartstikke aardig, hoor, en in het begin waren ze ook allemaal erg betrokken. Maar ik merk dat de belangstelling de laatste tijd wat afneemt. Logisch natuurlijk. Het raakt alleen mij direct. Ik wil er niet steeds met hen over praten, maar die behoefte heb ik eigenlijk wel, en dus wil ik deze dagen het liefst bij jullie in de buurt zijn. Samen zijn.'
Hanneke en Steven vonden het prima. Ook zij hadden er behoefte aan hun gezin om zich heen te hebben. Aafke kreeg een veldbed op haar oude kamertje, dat sindsdien het naaikamertje van Hanneke geweest was en de laatste tijd in gebruik was door Lobke voor haar beeldhouwactiviteiten.
'Daar kom ik deze weken toch niet toe. Dat komt straks wel weer,' zei Lobke, positief als altijd.
In het ziekenhuis werd Lobke geïnstalleerd in de gebruikelijke rode 'tandartsstoel', zoals ze het zelf noemde, voor de eerste helft van de laatste chemokuur. Even daarvoor had men bij haar een lange infuuslijn in haar borstkas aangebracht. Daaruit kon men ook bloed afnemen, zodat ze niet zo vaak geprikt hoefde te worden.
Sanne keek met open mond naar Lobke, die het aansluiten en inlopen van het infuus gelaten over zich heen liet komen. 'Lobke siek!' constateerde ze.
Lobke moest in het ziekenhuis blijven, en dus brachten ze haar na de kuur naar de afdeling.

Aafke en Steven gingen daarna naar hun werk, Hanneke en Sanne gingen terug naar huis.
Hanneke was de hele dag ongedurig, en Sanne voelde dat blijkbaar, want ook zij was snel geïrriteerd wanneer iets niet ging zoals ze wilde. Hanneke was blij dat Aafke na haar werk de tijd nam om zich met Sanne bezig te houden, zodat zij zich zelf even kon terugtrekken.
Toen Steven thuiskwam, vond hij zijn vrouw op Lobkes kamer in een stoel, met het beeldje van opa in haar hand. Steven knielde naast haar neer, terwijl Hanneke met haar vinger de lijn langs de opgeheven arm van het beeldje volgde. 'Wat zal het worden voor Lobke, het leven teruggeven of een nieuwe kans krijgen?' vroeg ze zacht.
Steven gaf geen antwoord, maar hij sloeg zijn arm om Hannekes schokkende schouders heen. Na een poosje stond hij op. 'Weet je al wat we gaan eten?' vroeg hij. 'Of zal ik chinees halen?'
'Laten we maar iets makkelijks doen, soep of zo. Ik heb nu weinig trek in chinees. Ik heb eigenlijk helemaal niet zo veel trek in eten,' antwoordde Hanneke. 'Ik heb nog wat soepgroenten en balletjes in de vriezer. Soep is dus zo klaar.'
Ze gingen die avond allemaal vroeg naar bed. Sanne viel al snel in slaap, maar Steven en Hanneke lagen nog lang wakker.
De volgende dag werkte Steven 's morgens thuis, zodat hij bij Sanne kon blijven terwijl Hanneke naar het ziekenhuis ging.
Lobke bleek een slechte nacht gehad te hebben. Ze had veel last van haar gewrichten. Hanneke bracht haar in de rolstoel naar de dagbehandeling, waar ze het laatste deel van de kuur zou krijgen. Bij de 'tandartsstoel' stond dokter Evers al te wachten. Hij sloot het infuus aan. 'De laatste loodjes,' zei hij. 'Nog even volhouden, meid.'
Lobke glimlachte vermoeid.
Nadat de chemokuur ingelopen was, bracht Hanneke Lobke terug naar de afdeling. Daar installeerde ze Lobke in bed. 'Morgen lekker een dagje vrij,' zei ze.
'Je hoeft morgen niet te komen, hoor,' zei Lobke. 'Laat me maar even. Ik ben toch niks waard nu. Ik heb Roel ook al gezegd dat hij

maar niet langs moet komen. Ik bel jou en hem zelf wel als ik daartoe in staat ben. Ga jij maar iets leuks doen met Sanne. Dan heb je zelf ook wat afleiding.'

Hanneke twijfelde even. 'Weet je het zeker? Het is me niks te veel, hoor, om langs te komen.'

Lobke knikte. 'Ik weet het zeker. Ga maar gauw naar Sanne. Knuffel haar en pap maar van me.'

'Goed. Sterkte, meisje, en tot donderdag dan. We denken aan je.'

'Weet ik. Dag, mam.'

Hanneke liep langzaam naar de uitgang. Ze voelde zich verscheurd door haar tegenstrijdige verlangens. Enerzijds wilde ze graag naar Sanne, anderzijds wilde ze niets liever dan in de buurt van Lobke blijven.

Thuis zat Steven achter zijn laptop te werken, terwijl Sanne tevreden neuriënd en heen en weer wiegend naast hem zat achter haar Nijntje-computer.

'Lunch je nog mee?' vroeg Hanneke.

Steven schudde zijn hoofd. 'Nee, ik ga. Ik heb vanmiddag een vergadering, die ik nog moet voorbereiden.'

Om wat afleiding te hebben reed Hanneke 's middags met Sanne naar opa en oma De Bont.

Sanne genoot ervan, en opa en oma niet minder. Het gebeurde niet zo vaak dat Sanne bij hen kwam, maar Sanne wilde meteen door naar de schuur. 'Opa timmere!'

Opa lachte. 'Ja hoor, jij mag straks met opa in de schuur gaan timmeren. Maar eerst een kopje thee drinken met mamma.'

Hanneke vertelde hoe het tot nu toe gegaan was met Lobke.

'Dappere meid,' vond opa. 'Maar dat wisten we al.'

Het werd ondanks de onrust van Hanneke een gezellige middag, en iets minder gespannen reed ze terug naar huis, waar Aafke al bezig was met het avondeten. 's Avonds hield een hilarische film de onrustige gedachten op een afstandje. Hanneke lachte zich tranen, en dat voelde als een verfrissende en ontspannende douche. Ze sliep die nacht iets beter dan daarvoor.

De dag daarna begon somber, maar naarmate de ochtend verstreek, werd het helderder en zonniger weer.

Hanneke had die ochtend het plan opgevat met Sanne de bijbelse tuin te bezoeken. Ze had die al wel op de foto's van Lobke en Roel gezien, maar was er nog steeds niet zelf geweest.
Sanne had er zichtbaar zin in. 'Met de auto rije!' zong ze, wippend op haar stoel.
Hanneke lachte. Ze hielp eerst Sanne in de auto, deed daarna de rolstoel in de kofferbak, stapte toen zelf in en reed naar Hoofddorp. Onderweg schoot haar te binnen dat Lobke misschien zou bellen. Stond haar mobiel wel aan? Ze bedwong de neiging de auto onmiddellijk aan de kant van de weg stil te zetten om het na te kijken. Nu op de weg letten. Gebruik je verstand, hield ze zich voor.
Op de parkeerplaats bij de rooms-katholieke kerk Sint-Joannes de Doper zag ze dat haar mobiel gelukkig aanstond. Ze hielp Sanne in de rolstoel en daarna gingen ze samen naar de bijbelse tuin. Hanneke glimlachte om het bordje *Verplichte Rijwielstalling 5 ct ten behoeve der R.K. Jeugdbeweging* dat bij de ingang hing. Dat je tegenwoordig bij attracties bijna nergens meer je auto kon parkeren zonder daar parkeergeld voor te moeten betalen, was haar bekend. Ook in het buitenland was dat steeds vaker het geval. Maar een verplichte rijwielstalling? Ze lachte even in zichzelf en zag al voor zich dat bij diverse stations in de buurt daarmee goud geld te verdienen zou zijn.
Bij boekwinkel Het Kruispunt, die naast de ingang van de tuin gevestigd was, werd ze aangesproken door een vriendelijke mevrouw die naar buiten kwam. 'Goedemorgen, u komt onze tuin bezoeken? We gaan net koffiedrinken. Komt u een kopje met ons meedrinken? Dat doen we iedere morgen gezamenlijk met de bezoekers en de vrijwilligers. We hebben er verse appeltaart bij, gemaakt van appels uit onze eigen tuin.'
Hanneke keek naar Sanne. 'Zullen we eerst gaan koffiedrinken? Met appeltaart?'
'Ja, taart!' juichte Sanne.
'Nou, dat lijkt me een duidelijk antwoord,' lachte de mevrouw. Ze liep voor hen uit naar een ruimte achter de kerk en wees Hanneke waar Sannes rolstoel het best kon staan. 'Gaat u maar zitten.

Ik haal wel koffie en taart. Of wilt u misschien iets anders hebben?'

Hanneke lachte. 'Sanne is een echte koffieleut, en ik vind een bakje koffie 's morgens ook wel lekker.'

De koffie en de taart werden geserveerd.

Hanneke hielp eerst Sanne met de appeltaart en genoot er daarna zelf van. Dat smaakte!

'Bent u hier al vaker geweest?' vroeg een man die naast haar zat. Zo te zien was hij een van de vrijwilligers, die te herkennen waren aan hun groene trui. Hanneke schudde haar hoofd. 'Nee, wij niet, maar mijn jongste dochter wel. Dat zit zo.' En ze vertelde haar buurman de reden van Lobkes bezoek aan de tuin.

De man luisterde aandachtig. 'En hoe is het nu met uw dochter?' vroeg hij toen.

Hanneke keek hem met verdrietige ogen aan. 'Eergisteren en gisteren heeft ze een zware chemokuur gehad. Vandaag heeft ze een rustdag, en morgen en vrijdag wordt ze bestraald. Dan wordt vrijdag bij Sanne beenmerg weggehaald, en dat wordt diezelfde dag nog aan Lobke gegeven.' Ze wees hierbij naar Sanne, die wat heen en weer zat te wiegen op de maat van de achtergrondmuziek.

'Dat lijkt me heel bijzonder,' zei de man.

'Dat is het ook. Dit zijn spannende dagen voor ons allemaal. Vandaar dat ik vandaag hier graag naartoe wilde.'

'Nou, dan hoop ik dat u vindt wat u zoekt. Veel mensen vinden hier rust en inspiratie. Het is niet voor niets dat de bijbelse tuin dit jaar verkozen is tot favoriete religieuze plek van de provincie.' Hij stond op en gaf haar een hand. 'Ik wens u en uw familie alle goeds, en van harte beterschap voor uw dochter.'

'Dank u wel. En dank u wel voor het luisteren. Dat heeft me goedgedaan,' zei Hanneke. Ze knikte de man vriendelijk toe. Daarna stond ze ook op en liep ze met Sanne in de rolstoel naar buiten, de tuin in. Sommige plekken en details herkende ze van de foto's van Lobkes verjaardag, maar ze zag ook nieuwe dingen. Ze schrok in eerste instantie toen ze zag dat er een begraafplaats bij de tuin lag. Als ze dat vooraf geweten had, had ze ongetwijfeld

Roel de tip niet gegeven hier op die toch feestelijke dag naartoe te gaan. Maar ze had er Lobke ook niet over gehoord, dus misschien hadden Lobke en Roel daar een andere mening over dan zijzelf. Daarna liep ze verder de tuin in. Ze was onder de indruk van de prachtige beelden die verspreid door de tuin stonden. Sommige beelden ontroerden haar, zoals het beeld van Christoffel met het kind op zijn schouders, het beeld van de verloren zoon, en het beeld van Abraham die zijn zoon Isaak omhelst vlak voordat hij hem moet gaan offeren.

Bij de kruidentuin stond een beeldengroep van de heilige Familie: Jozef achter een werkbank, Maria daartegenover, zittend op een bank met een lachende en kraaiende Jezus op schoot, en Anna, de moeder van Maria, naast Maria op de bank, met haar aandacht op het kind Jezus gericht. Er ging ineens een schok door Hanneke heen. Jezus had ook een oma gehad. Daar had ze nooit zo over nagedacht. Er was ook een oma geweest, die haar kleinzoon had zien opgroeien, die van Hem gehouden had, die trots op Hem geweest zou zijn, maar die ook verdriet gehad zou hebben als ze meegemaakt had dat Hij zo jong zo'n verschrikkelijke dood stierf. En die verdriet gehad zou hebben om het verdriet van haar dochter Maria.

Hanneke moest ineens denken aan haar eigen ouders, en aan de manier waarop zij omgingen met de ziekte van Lobke. Hun steun, hun liefde, ze leken soms zo vanzelfsprekend, maar ze vervulden haar nu met diepe dankbaarheid. Ze zag weer voor zich hoe haar ouders eruitgezien hadden toen ze voor het eerst langskwamen na de geboorte van Aafke. Hun ontroering om het nieuwe leven dat uit hun kind geboren was. De glans in hun ogen wanneer ze naar haar keken, hun dochter die nu zelf moeder geworden was. Hoe ze groeiden in hun rol als opa en oma, en hoe dol de kinderen van het begin af aan op hen geweest waren. Hoe ze haar en Steven gesteund hadden toen de ontwikkeling van Sanne anders verliep dan zij allemaal gehoopt hadden. En ook hoe ze de afgelopen tijd omgegaan waren met de ziekte van Lobke, en het prachtige beeldje dat haar vader voor Lobke gemaakt had. Dat ze altijd op hen had kunnen terugvallen.

Sanne vond blijkbaar dat ze nu wel lang genoeg stilgestaan hadden. 'Rije!' riep ze, en ze ging heen en weer zitten wiegen, alsof ze de rolstoel daarmee zelf in beweging zou kunnen zetten.
'Ja hoor, we gaan weer verder.' Hanneke duwde de rolstoel in de richting van het labyrint, dat ze al had zien liggen. Toen ze er eenmaal voor stond bleek het kleiner dan ze verwacht had. Ze aarzelde even. Ze wilde de weg die door het labyrint slingerde, graag lopen, maar wat deed ze nu met Sanne? Die zou dan weer een tijd stil moeten zitten. Het pad was te smal voor de rolstoel. Ze keek om zich heen. Het was erg rustig in de tuin. Alleen in de verte zag ze een paar vrijwilligers lopen. De feniks in het midden van het labyrint leek haar te wenken. Kom maar. Ook ging Sanne weer zitten wiegen. 'Rije!'
Ze dacht terug aan haar droom, waarin Sanne een tijdje arm in arm met haar opgelopen was in het labyrint. Nu kon ze weer samen met Sanne het labyrint lopen, maar deze keer zonder dat Sanne bij haar vandaan zou kunnen lopen...
Ze keek weer naar de strepen op de grond die de weg door het labyrint vormden. Ze moest onwillekeurig even lachen om haar eerdere gedachte dat het pad te smal was voor de rolstoel. Hoe dwingend en beperkend liet ze nu zelf de strepen zijn voor iemand als Sanne? Toen nam ze een besluit. Ze duwde de rolstoel naar het begin van het labyrint en begon het slingerpad af te lopen, waarbij ze Sanne voor zich uit duwde. De wielen van de rolstoel reden aan weerszijden van het pad. Zo zou het ook in de zorg moeten zijn, schoot het door haar heen, denkend aan haar eerdere frustraties. Zo zouden de mensen die vanwege een meervoudige handicap niet pasten binnen de soms nauwe richtlijnen – in dit verband een mooi woord trouwens, bedacht ze – van de zorgindicaties, die lijnen moeten kunnen overschrijden waardoor ook zij het labyrint van hun eigen leven toch konden uitlopen.
Sanne leek het wel grappig te vinden, dat draaien en keren op het slingerpad.
Hanneke liet af en toe de rolstoel wat achterover kantelen in de bochten, en ze knuffelde Sanne daarbij.
Sanne schaterde.

Toen ze bijna bij de feniks in het centrum waren, boog de weg ineens af, en leken ze steeds verder van het centrum vandaan te lopen. Hanneke keek naar de strepen en aarzelde. Was ze verkeerd gelopen? Moest ze opnieuw beginnen? Ze dacht terug aan haar droom. Nee, doorlopen, hield ze zichzelf voor. Vertrouw er maar op dat je uiteindelijk toch uitkomt bij het centrum.
Ze vervolgde het slingerpad, dat nu met een wijde boog om de feniks heen liep. Het lopen over het pad duurde langer dan ze verwacht had. Tijdens het wandelen daalde er een wonderbaarlijke rust over Hanneke. Dit was goed. Het was goed. En het kwam goed, wat er ook gebeurde.
Met een omtrekkende beweging naderden ze de feniks, totdat ten slotte het laatste stukje in één rechte lijn werd afgelegd. Ze hadden het gehaald.
Sanne staarde bedachtzaam naar de feniks die naar boven reikte.
'Vogel,' concludeerde ze.
'Goed gezien. Dat is een vogel,' lachte Hanneke.
'Vogel aaie?' vroeg Sanne.
'Natuurlijk mag dat,' zei Hanneke, en ze draaide de rolstoel zo dat Sanne er gemakkelijk bij kon. Die stak haar hand uit, maar trok die snel terug. 'Koud!' constateerde ze.
Opeens hoorde Hanneke haar mobieltje piepen. Een sms'je, misschien wel van Lobke.
Ja, het was Lobke. *Hoi mam, ziek, zwak en misselijk, maar verder alles goed. Iets heel leuks gekregen! Tot morgen xxx.*
Hanneke sms'te meteen terug. *Ben met Sanne in de bijbelse tuin. Sta midden in het labyrint. Mooi hier. Houd je taai. Knuffel en tot morgen.*
Ze boog zich voorover naar Sanne. 'Ga je mee weer naar huis? Dan gaan we een boterham eten.'
Ze wandelden nog even langs het boekwinkeltje, en Hanneke kocht daar een prachtig boek, waarin niet alleen de beelden en hun uitleg beschreven stonden, maar ook de planten en bomen uit de tuin, en de legenden die aan sommige verbonden waren. Hanneke verheugde zich er al op om dat morgen aan Lobke te geven.

22

De volgende morgen kwamen opa en oma De Bont om op Sanne te passen terwijl Hanneke heen en weer naar het ziekenhuis ging.
Lobke kreeg vandaag haar eerste bestraling.
Hanneke schrok toen ze Lobkes inwitte gezichtje zag. Ze was al zo ziek, en dan ook nog die bestraling? Zou dat wel goed komen? Lobke lag nog op bed. Ze zag haar moeder schrikken en kneep Hanneke in haar hand. Daarna wees ze naar het raam. Daar hing een hele slinger met allemaal grote papieren bloemen in allerlei bonte kleuren, met aan iedere bloem een kaartje. 'Van mijn klas,' zei Lobke met een vermoeide stem. 'Om me sterkte te wensen voor D-day morgen. Lief, hè?'
'Nou,' zei Hanneke ontroerd. 'Wat zijn ze trouw.'
'Er staan allemaal lieve dingen op de kaartjes. Ik heb ze nog niet eens allemaal gelezen. Ik heb Roel een sms'je gestuurd en gevraagd of hij hen namens mij wil bedanken.'
Hanneke legde een pakje op het nachtkastje. 'Ik ben gisteren met Sanne naar de bijbelse tuin geweest, en heb daar dit boek gekocht. Ik heb het gisteravond in één adem uitgelezen. Bekijk het straks maar op je gemak. Ik denk dat jij er ook wel van zult genieten.'
'Fijn, bedankt, mam,' zei Lobke met een glimlach. Ze stapte moeizaam uit bed, deed een vest aan en ging in de rolstoel zitten die de verpleging al had klaargezet. Toen vroeg ze aan Hanneke: 'Wil je even mijn mp3-speler uit mijn laatje pakken? Ik moet een uur stilzitten tijdens de bestraling, maar ik mag wel naar muziek luisteren.'
Hanneke pakte de mp3-speler uit het laatje, gaf die aan Lobke en liep toen samen met Lobke op aanwijzingen van de verpleging naar de bestralingsruimte. Daar kwam een verpleegkundige naar hen toe. 'Lobke Schrijver? Jij mag met mij mee. Wilt u hier wachten, mevrouw?'
Hanneke gaf Lobke een knuffel. 'Tot straks. Ik wacht op je.'
De bestraling zou een uur in beslag nemen, en Hanneke blader-

de in de tussentijd wat in de tijdschriften die er lagen, al drong geen letter van wat ze las, tot haar door. Ze haalde na een poosje een beker koffie bij de afdelingsautomaat en zat wat voor zich uit te staren, met haar gedachten bij Lobke.
Na ruim een uur bracht de verpleegkundige Lobke bij Hanneke in de wachtkamer. 'Tot morgen,' groette ze Lobke, en daarna verdween ze weer.
'Hoe is het gegaan?' vroeg Hanneke gespannen.
'Dat ging wel. Het moeilijkste vond ik nog helemaal stil te zitten,' zei Lobke. 'Vreemd dat ik daar zo moe van ben, zou je zeggen. Maar ik verlang naar mijn bed.'
Hanneke bracht haar terug naar de afdeling, hielp Lobke in bed en ging toen weer naar huis.
Opa en oma wachtten haar daar vol spanning op.
Hanneke vertelde hun hoe het gegaan was.
'Hoe is het met jou?' vroeg oma bezorgd.
'Ik zie erg op tegen morgen,' zei Hanneke eerlijk.
'Dat kan ik me voorstellen. Vooral omdat je Sanne niet kunt voorbereiden op haar operatie. Ik zou willen dat ik je kon helpen, kind.'
'Dat doe je al, ma, gewoon door er te zijn.' Hanneke omhelsde haar moeder. 'Ik heb daar gisteren in de bijbelse tuin nog aan moeten denken.' En ze vertelde haar moeder over haar bezoek aan de tuin en de beeldengroep met onder anderen de oma van Jezus. 'Ik besefte ineens dat jullie je niet alleen zorgen maken over Lobke, maar dat jullie ook verdriet hebben over mijn pijn als moeder van Lobke. Zoals ik lijd om de pijn van Lobke, mijn dochter, lijden jullie om mijn pijn, omdat ik jullie dochter ben. Tenminste, dat kon ik me ineens voorstellen. Daar had ik tot nu toe nooit zo aan gedacht.'
Oma knikte. 'Zo voelt het ook. Dat heb je goed verwoord.'
Hanneke kuste haar moeder zacht op de wang. Daarna ontsnapte haar een zucht. 'Was het maar alvast zaterdag. Dan hadden we het achter de rug.'

***

De vrijdag brak aan. 'D-day', zoals Lobke het noemde. Aafke en Steven hadden vrij genomen, en ze reden al vroeg met z'n vieren naar het ziekenhuis. Daar haalden ze eerst Lobke op van de afdeling, waarna ze gezamenlijk naar de bestralingsruimte liepen. Dezelfde verpleegkundige als de dag ervoor wachtte Lobke al op. Aafke bleef in de wachtkamer op Lobke wachten.
Hanneke en Steven liepen daarna met Sanne in de rolstoel naar het laboratorium. Even later voegde Tim zich bij hen, met een grote tas bij zich.
Sanne begroette hem enthousiast. 'Tim!' Ze pakte zijn hand en drukte er een kus op.
Met dokter Evers was afgesproken dat Tim met Sanne mee zou gaan, om te assisteren bij de halve liter bloed die eerst afgenomen moest worden. Ze wachtten in het restaurant dat naast het laboratorium lag, totdat Sanne binnengeroepen zou worden.
Sanne was wat ongedurig. 'Drinken!' riep ze steeds. Ze keek naar de mensen in het restaurant die allemaal met koffie of limonade voorbijliepen.
'Nee, schat. Straks,' troostte Hanneke.
Sanne had nuchter moeten blijven voor de operatie.
Het display op het bord bij het lab gaf gelukkig vrij snel aan dat Sanne aan de beurt was.
Tim stond op, pakte zijn tas en reed Sanne in de rolstoel naar het lab.
Sanne keek angstig naar Hanneke, en strekte haar hand naar haar uit. 'Mamma!'
Bij Hanneke sprongen de tranen in de ogen, en ook Steven had het zichtbaar moeilijk.
Tim en Sanne verdwenen achter een gordijn. Daar hoorden ze Sanne nog steeds roepen: 'Mamma! Mamma!' Ze hoorden Tim zeggen: 'Sanne, kijk eens.' Daarna klonken de tonen van een keyboard. Het duurde even, maar toen werd Sanne rustiger. Na een poosje kwamen ze weer tevoorschijn. Tim was zichtbaar opgelucht. 'Gelukkig, mijn trucje is weer gelukt,' zei hij met een grijns. 'Nu op naar de operatiekamer.'
Sanne had in het lab al ter voorbereiding op de narcose medica-

tie toegediend gekregen, waardoor ze wat slaperig was geworden. Ook was de naald blijven zitten, zodat ze niet opnieuw geprikt hoefde te worden.
Met z'n vieren liepen ze naar de operatieafdeling. Daar werden ze opgewacht door een verpleegkundige.
Hanneke en Steven moesten in de wachtruimte wachten.
Tim mocht mee naar binnen.
Sanne had nauwelijks door dat Hanneke en Steven niet meegingen. Ze hing in haar rolstoel en gaapte.
De uren leken eindeloos te duren.
Aafke kwam even kijken en vertelde dat de bestraling erop zat. 'Lobke wordt nu klaargemaakt voor de transplantatie aan het eind van de middag,' zei ze.
Tweeënhalf uur later kwam Tim door de klapdeuren heen. Achter hem reden twee verpleegkundigen het bed waarin Sanne lag. Ze snurkte.
'Ze is al even wakker geweest, maar zakte toen weer weg,' zei Tim. 'Ze gaat nu naar een uitslaapkamertje op de dagbehandeling. Daar komt Lobke ook naartoe, heb ik begrepen.'
Ze liepen samen achter het bed aan.
Sanne kreunde licht.
Op het uitslaapkamertje zat Lobke al te wachten. Ook zij zat in een rolstoel.
'Hoe is het met je?' vroeg Hanneke.
'Gaat wel,' zei Lobke. 'Misselijk, moe, en alles doet zeer. Hoe is het met Sanne?'
'Het is goed gegaan,' zei Tim. 'Ze hebben genoeg beenmerg kunnen afnemen.'
'Wil je me even naar het bed toe rijden,' vroeg Lobke aan Aafke. Die duwde de rolstoel vlak naast het bed waarin Sanne lag.
Lobke pakte voorzichtig een hand van Sanne. Ze kneep er even in. 'Lief zusje van me.'
Sanne reageerde nauwelijks.
'Ze is nog suf van de narcose,' zei Tim. 'Laat haar maar even rustig bijkomen.'
Even later kwam dokter Evers binnen. 'Zo, jullie zitten hier ge-

zellig bij elkaar,' zei hij. Hij keek naar Lobke. 'Hoe voel je je nu?'
'Beroerd, maar dat hoort erbij. Ik zal blij zijn wanneer het allemaal achter de rug is.'
Naast Lobke begon Sanne te huilen, eerst zacht, met steeds diepere halen. 'Au, au!' Ze werd onrustig en begon te draaien.
Zowel Hanneke als Tim liep snel op het bed toe.
Hanneke aaide haar over haar hoofd en wang. 'Hé, Sannetje, flinke meid van ons.'
Sanne reageerde er niet op. Ze hield haar ogen gesloten en bleef huilen, steeds harder.
Tim legde zijn hand op haar schouder en schudde haar zacht. 'Sanne, word eens wakker!' En even later wat harder: 'Sanne, word eens wakker. Kijk eens wie er naast je zit? Lobke is er.'
Dat bleek het toverwoord.
Sanne deed haar ogen een beetje open, zag Lobke zitten en stopte prompt met huilen. Ze trok een brede grijns. 'Lobke!'
Lobke boog zich naar haar over. 'Hé, lieve Sanne, ben je weer wakker?' Ze kneep in Sannes hand.
Sanne sloot haar ogen weer, maar was nu een stuk rustiger. Ze zuchtte een paar keer diep en zei toen: 'Drinken.'
Hanneke wilde een glas pakken, maar Tim zei: 'Op de operatiekamer hebben ze gezegd dat ze nog wel een poosje misselijk kan zijn van de narcose, en dat we dus nog even moeten wachten met drinken geven. Maar we mogen wel haar lippen natmaken met water.'
Dokter Evers knikte. 'Ze hebben daar in de verpleegpost vast wel iets van een washandje of zo.'
Aafke stond meteen op en liep naar de verpleegpost.
Dokter Evers keek naar Hanneke en Steven. 'Hoe is het met jullie?'
'Het waren moeilijke uren...' zeiden Steven en Hanneke tegelijk. Ze keken elkaar aan en lachten.
'Maar nu gaat het wel weer,' zei Hanneke toen.
'Sanne heeft op de uitslaapkamer al de halve liter bloed teruggekregen die ze vanmorgen bij haar afgenomen hebben,' zei de arts. 'Meestal doen we dat een paar uur na de operatie, maar in het

geval van Sanne hebben we dat maar meteen gedaan toen ze van de operatietafel kwam. Dan had ze er nauwelijks last van en lag ze nog rustig. U krijgt nog een recept mee voor wat ijzertabletten. Die moet ze een week slikken.'

Aafke kwam terug met wat vochtige doekjes. 'Deze mogen we gebruiken.'

Hanneke pakte ze van haar aan en veegde ermee over Sannes lippen. Die smakte met haar mond. 'Drinken.'

Hanneke keek naar dokter Evers. 'Mag ze niet een klein slokje? Ze had vanmorgen al zo'n dorst voordat we naar het ziekenhuis gingen.'

Dokter Evers keek naar Sanne. 'U kunt een heel klein beetje proberen, maar voorzichtig aan.'

'Ik ga wel even naar het restaurant om een beker en een rietje,' zei Aafke, en weg was ze weer.

In een mum van tijd was ze terug met een glas, een flesje spa en een rietje. Hanneke goot wat water in het glas, deed het rietje erin en hield dat voor Sannes mond.

Sanne had nog steeds haar ogen gesloten, maar toen ze het rietje voelde, zoog ze daar werktuiglijk aan. Ze nam twee slokjes en liet het rietje toen weer los. 'Lekker,' zei ze. Ze likte haar lippen af. 'Nog.'

Hanneke gaf haar nog een slokje, en toen was het genoeg.

Sanne deed een oog een beetje open en zakte toen weer weg.

'Er is ruim voldoende beenmerg opgezogen bij Sanne,' vertelde dokter Evers. 'We zijn het nu aan het prepareren, en aan het eind van de middag krijg jij dat via een infuus toegediend, Lobke. Je kunt daar wat rillerig van worden, maar als alles goed gaat, vinden de stamcellen zelf hun weg naar jouw beenmerg en gaan ze daar aan de slag. Over een week of vier kunnen we dan zien of het aangeslagen is. Daarna zijn we er nog niet, je hebt nog een lange weg te gaan, maar we hopen dat het vanaf hier steeds een stukje bergopwaarts gaat.'

Lobke zuchtte. 'Ik moet er nu even niet aan denken een berg op te moeten gaan...'

Er werd op de deur geklopt.

Roel kwam binnen. 'Ik begreep dat jullie hier zaten. Is het hier vergadering of zo?'
Dokter Evers lachte. 'Daar lijkt het wel op. Nou, Lobke, tot het eind van de middag.' Hij knikte ook de anderen gedag en vertrok.
'Hoe is het gegaan?' vroeg Roel nieuwsgierig. Hij keek bezorgd naar Lobke, die er wit en moe uitzag.
Hanneke stelde hem gerust. 'Naar omstandigheden goed. Lobke heeft last van de chemo en de bestraling, maar dat was voorspeld. En Sanne heeft de operatie goed doorstaan. Ze is alleen nog erg suf van de narcose. Gelukkig heeft men voldoende beenmerg kunnen opzuigen. Aan het eind van de middag krijgt Lobke dat toegediend via een infuus. Dus eigenlijk verloopt alles naar wens.'
'Alleen barst ik nu van de honger,' zei Steven. 'Vanmorgen kon ik bijna geen hap door mijn keel krijgen van de spanning, maar ik voel nu dat mijn maag roept om een broodje of zoiets. Hebben jullie daar geen last van?'
Tim keek op zijn horloge. 'Het is al halfeen,' zei hij. Hij keek naar Aafke. 'Zullen wij wat broodjes en drinken gaan halen in het restaurant?'
'Goed idee,' vond Aafke. 'Lobke, jij ook wat?'
Lobke trok een gezicht. 'Ik moet nu even niet aan eten denken,' zei ze. 'Maar breng maar een paar flesjes van dat vruchtensap mee. Misschien krijg ik dat wel naar binnen.'
'En Roel, heb jij al gegeten?' vroeg Aafke.
Roel schudde zijn hoofd. 'Nee, ik ben regelrecht van school hiernaartoe gekomen. Ik had vanmorgen schoolonderzoek van bio. Ik kon dus niet verzuimen. Anders was ik vanmorgen ook hier geweest.'
'O ja, helemaal niet aan gedacht,' zei Lobke. 'Hoe ging het?'
Roel haalde zijn schouders op. 'Dat zal wel een onvoldoende worden. Ik was er helemaal niet bij met mijn gedachten. Gelukkig sta ik een acht gemiddeld. Ik kan dus wel wat hebben. Je moet trouwens de groeten hebben van de klas. Ze denken vandaag allemaal extra aan je, moest ik zeggen.'
Lobke glimlachte. 'Lief van hen. En gaaf, joh, die bloemenslinger.'
Hanneke dacht met bewondering aan de klasgenoten van Lobke.

Wat hadden zij zich in de afgelopen periode trouw getoond. Iedere dag was er wel een kaart, mail of telefoontje gekomen, en ook de docenten hadden meer dan eens hun belangstelling getoond. Dat had niet alleen Lobke erdoorheen gesleept, maar ook Aafke, Steven en zij hadden er veel steun aan gehad. En dan afgelopen woensdag die kleurige bloemenslinger. Morgen maar eens namens ons drieën een bedankkaartje naar school sturen, ging het door haar heen. Lobke en Roel hadden samen een website gemaakt waarop ze telkens een update van de ontwikkelingen rondom Lobke maakten, en Hanneke had begrepen dat die site regelmatig bezocht werd.

Aafke en Tim waren al snel terug met een blad met belegde broodjes, wat glazen en diverse flesjes vruchtensap.

Iedereen pakte een broodje en beet daar gretig in.

Alleen Lobke hield het bij een glaasje aardbeiensap. 'Hè, toch wel lekker,' zei ze.

Opeens ging er een mobiele telefoon af.

Steven, Roel en Tim grepen alle drie naar hun broekzak.

Terwijl Steven contact maakte, grijnsden Roel en Tim naar elkaar. 'Toch maar eens een andere ringtone kiezen...'

Ze hoorden Steven zeggen: 'Dag, pa. ... Ja, het is allemaal goed gegaan. Sanne wordt al een beetje wakker, en Lobke is nog wel beroerd en moe van de chemo en de bestraling, maar wacht nu op de transfusie. ... Eind van de middag. ... Ja, we zijn hier allemaal. ... Dat zou lekker zijn. Ik denk dat we rond een uur of zeven thuis zijn. ... Fijn, tot vanavond dan.' Hij knikte naar Hanneke. 'Dat was pa. Ma en hij komen vanavond langs, en ma zal dan een pan groentesoep en een hartige taart meebrengen. Dan hoeven we niet te koken.'

'Hè, heerlijk,' zei Hanneke. 'Lief van hen. Ma denkt ook overal aan.'

Sanne begon weer te draaien en werd nu wat meer wakker.

Lobke zat nog steeds met haar hand in die van Sanne. Ze boog zich voorover en zei weer: 'Sanne, ben je wakker?'

Sanne deed haar ogen open. Ze gaapte. Toen zei ze: 'Drinken!'

Hanneke deed weer wat water in het glas, en hield het rietje bij Sannes mond.

Die dronk een paar flinke slokken en wilde zich toen op haar rug draaien. Dat deed blijkbaar pijn, want ze vertrok haar gezicht. 'Au!' Ze draaide zich weer naar Lobke.
'Blijf maar lekker even op je zij liggen,' zei Tim, die naast Lobke voor het bed hurkte.
Sanne zag Tim nu ook. Haar mond liet een flauwe glimlach zien. 'Tim!' verzuchtte ze.
'Ja, Tim is er ook, en mamma en pappa en Aafke en Roel. Kijk maar.'
Het drong wat meer tot Sanne door dat zij als enige in bed lag en dat de rest om haar heen stond. 'Ben wakker!' zei ze toen. 'Wil uit bed.' Ze wilde zich oprichten, maar voelde toen de pijn in haar bekken weer. Ze fronste haar wenkbrauwen en begon zacht te jammeren. 'Auauauau...' Toen maakte ze een kokhalzende beweging. Het water dat ze gedronken had, kwam er in een golf weer uit en kwam grotendeels op het onderlaken terecht. Daarna liet ze zich terugzakken op het kussen.
Lobke keek wanhopig en aaide Sanne steeds over haar handen. 'Sannetje toch...'
Hanneke keek naar Tim. 'Wat doen we nu?'
Die keek om zich heen. 'Is hier ergens een bel?' Hij zag een alarmknop bij de deur en drukte daarop. Even later kwam er een verpleegkundige binnen.
'Ze is misselijk en heeft gespuugd,' zei Tim en wees naar Sanne.
De verpleegkundige pakte een bakje van een verrijdbaar verbandtafeltje en legde dat onder Sannes kin.
Maar Sanne was alweer weggezakt en snurkte weer.
De verpleegkundige pakte een celstofmatje uit de kast en legde dat over de natte plek.
'Ze heeft ook af en toe pijn,' zei Hanneke. De verpleegkundige raadpleegde de kaart die aan Sannes bed hing. 'Ik zal haar een injectie tegen de pijn geven,' zei ze toen. 'Laat haar daarna maar zo rustig mogelijk liggen. Des te vlugger knapt ze op. En bel anders maar weer.'
De middag kroop om.
Roel bracht Lobke terug naar de afdeling, zodat ze daar op bed

nog wat kon rusten, terwijl hij bij haar op de kamer wat ging zitten lezen.
Sanne werd af en toe wakker en kreunde dan licht. Ze gaf gelukkig niet meer over.
Aafke en Tim gingen een eindje lopen en kwamen met frisse wangen van de vrieskou terug. 'Hè, dat was even lekker.'
Hanneke en Steven bladerden wat in een tijdschrift.
Tegen een uur of vijf was Sanne goed wakker.
Tim en Hanneke kleedden haar op bed voorzichtig aan en hielpen haar daarna in de rolstoel.
Sanne vroeg weer om drinken, en Hanneke gaf haar wat slappe thee. Die viel goed, en daarna at Sanne wat droge biscuitjes. De injectie deed blijkbaar haar werk, want Sanne klaagde niet meer over pijn. Wel keek ze verbaasd om zich heen. 'Niet thuis!' constateerde ze.
'Nee, schat, we zijn niet thuis. Dat heb je goed gezien.' Hanneke gaf haar dochter een knuffel.
Even later kwamen Lobke en Roel weer binnen, met Lobke in de rolstoel.
'Lobke ook stoel!' zei Sanne verbaasd, en ze lachte.
Lobke lachte terug. 'Ja, Lobke zit ook in een rolstoel, net als jij. Raar, hè?'
'Niet raar!' zei Sanne verontwaardigd. Ze moesten allemaal lachen.
Om kwart voor zes kwam dokter Evers weer binnen. 'Ga je mee?' zei hij tegen Lobke. 'Je transfusie is klaar.'
'Mag er iemand met me mee?' vroeg Lobke. Dokter Evers knikte. 'Wat mij betreft, gaan jullie allemaal mee. Dan maken we er een feestje van,' zei hij lachend.
Ze liepen gezamenlijk achter dokter Evers aan naar de rode 'tandartsstoel'. Daar moest Lobke in gaan zitten.
Een verpleegkundige had al een infuus klaargezet.
Dokter Evers sloot dat aan op de naald die nog in Lobkes borst was achtergebleven na de chemo. De rode zakjes met Sannes beenmerg lagen al klaar. Dokter Evers prikte het eerste zakje aan en verbond dat met het infuus. 'Nou, Lobke, hier komt het.'

Lobke legde haar linkerhand in die van Roel en wenkte toen met haar rechterhand naar Hanneke. 'Wil je Sanne naast me zetten? Ik wil haar hand vasthouden,' zei ze.
Hanneke reed de rolstoel van Sanne naar Lobke toe.
Sanne had een beetje wantrouwend naar de zuster en de dokter in hun angstaanjagende witte jas gekeken, maar toen ze zag dat Lobke rustig bleef onder de behandeling, ontspande ze zelf ook. Toen Hanneke de rolstoel dichter bij Lobke bracht, week ze toch weer wat angstig achteruit. 'Nee, bang!'
Lobke stak haar hand naar Sanne uit. 'Kom maar. Niet bang zijn. Ik wil alleen maar je hand vasthouden. Krijg ik een hand van je?'
Aarzelend legde Sanne haar hand in die van Lobke.
Hanneke legde haar hand ontroerd in die van Steven.
Aafke ging naast Tim staan en zocht zijn hand.
Zo stonden ze samen rondom Lobke, terwijl het infuus langzaam doordruppelde.

23

Vijf jaar later. Weer was het december. Na een warme nazomer en een prachtige herfst was nu buiten goed te voelen dat het winter werd. De herfsttijloos in de tuin had volop gebloeid, maar de mooie bloemen waren nu verdwenen. Ze herinnerden Hanneke ieder jaar weer aan de tijd waarin het geleken had dat er voor Lobke geen voorjaar meer zou komen.

De zon had zich al een paar dagen niet laten zien, en het was guur en koud, echt weer om lekker binnen te zitten met een boekje bij de open haard.

Hanneke had zojuist de laatste hand gelegd aan het optuigen van de kerstboom. Een werkje waarvan ze als altijd weer genoten had. De witte kaarslampjes weerspiegelden in de zilveren ballen. De zilveren slingers gaven de boom een extra zwierige aanblik, en de enige kleur kwam van de rode lintjes aan de witte schuimkerstkransjes.

Hannekes blik viel op een foto van Aafke, Sanne en Lobke, die in York gemaakt was. Wat een fijne week hadden ze toen gehad. En wat was er na die spannende dagen van de beenmergtransplantatie alweer veel gebeurd.

Sanne had na de beenmergafname nog ruim een week last gehouden van haar bekken, maar verder had ze de operatie wonderwel doorstaan. Lobke daarentegen was na de transplantatie nog flink ziek geweest. De gezonde cellen van Sanne hadden zich niet alleen op de nog overgebleven zieke cellen van Lobke gestort, maar waren ook de aanval begonnen op de gezonde cellen van Lobke. Iets wat wel vaker scheen voor te komen, en gelukkig waren daar de nodige medicijnen voor, maar Lobke had zich een poos erg beroerd gevoeld. Ze wist niet hoe ze moest liggen of zitten. Alles deed haar zeer.

Roel was in die tijd veel bij haar geweest en had geprobeerd haar af te leiden met verhalen van school, maar soms was Lobke zo ziek geweest dat ze hem gevraagd had weg te gaan. Alles was haar te veel.

Gelukkig was het daarna langzaamaan bergopwaarts gegaan. De uitslag dat de cellen van Sanne hun werk goed deden, was voor iedereen een opluchting, en voor Lobke een stimulans om weer wat meer te gaan eten en aan te komen. Toen ze eenmaal thuis was, had Hanneke allerlei lekkere hapjes voor haar klaargemaakt. Lobke moest nog veel medicijnen slikken, en moest regelmatig voor controle naar het ziekenhuis. Ook had ze het eerste jaar tot twee keer toe nog een bloedtransfusie en drie keer bloedplaatjes toegediend gekregen. Maar de uitslagen bleven hoopgevend. Het afgelopen jaar hoefde ze nog maar eens in het halfjaar voor controle te komen.

Ze was na een jaar teruggegaan naar school en had de stof met weinig moeite weer opgepakt. Het was wel even wennen geweest in de nieuwe klas. Al haar eerdere klasgenoten waren geslaagd voor hun examens, ook Roel, die nu in het laatste jaar van de Academie voor Lichamelijke Opvoeding in Amsterdam zat. Frank, z'n vader, werkte alweer een paar jaar in België, maar had via een zakenrelatie een mooie kamer voor Roel weten te regelen, zodat Roel in de buurt van Lobke kon blijven wonen.

De examentijd was zwaar geweest, en wat waren ze dankbaar geweest toen Lobke haar diploma in ontvangst mocht nemen. Haar oud-klasgenoten waren bijna allemaal aanwezig geweest tijdens de diploma-uitreiking, en Lobke straalde aan alle kanten.

Lobke was na haar eindexamen ingeloot voor de opleiding fysiotherapie aan de Hogeschool Leiden. Het eerste jaar was het zwaar geweest, en had ze het hele weekend nodig gehad om bij te komen, maar in het tweede jaar ging het een stuk beter, mede ook doordat ze het lichamelijk toen makkelijker kon volhouden. Ze zat nu in het derde jaar, en liep op dit moment stage in een praktijk in Amsterdam.

Aafke was vorig jaar getrouwd met Tim. Toen de relatie zich tussen hen verder ontwikkelde, had Tim met pijn in zijn hart afscheid genomen van De Roos, om werk en privé gescheiden te kunnen houden. Weer had Sanne aan een nieuwe pb'er moeten wennen. Deze keer was het een vrouw geworden, Esther, maar ook met haar was Sanne inmiddels dikke maatjes. Tim was gaan

werken in een instelling in Boskoop, waar hij twee jaar geleden leidinggevende geworden was. Aafke en Tim woonden in een buitenwijk van Boskoop, en Aafke verwachtte over vier maanden hun eerste kindje.
Hanneke glimlachte. Dan werden Steven en zij opa en oma. Weer een nieuwe fase in hun leven.

***

Ze pakte de stofzuiger om de gevallen dennennaalden op te ruimen en stak de stekker in het stopcontact. Even later klonk het gezellige gebrom van de stofzuiger door de kamer, vermengd met de kerstmuziek uit de radio.
Hanneke zong uit volle borst mee. Ze had daardoor niet in de gaten dat er aan de deur gebeld werd.
Dus klopte de bezoeker maar op het raam. Dat had meer effect.
Hanneke keek op. 'Tim!' Ze zette de stofzuiger uit en de radio zacht, liep naar de voordeur en opende die. 'Tim, wat een verrassing.' En toen wat bezorgd: 'Er is toch niks met Aafke of de baby?'
Tim stapte naar binnen, gaf haar een kus op de wang en deed zijn jas uit. 'Nee hoor, maar ik had hier in de buurt een studiedag, en die was wat vroeger afgelopen dan gepland. Toen dacht ik: laat ik mijn schoonmoeder eens met een bezoek vereren. Die heeft vast wel een kopje lekkere koffie voor me, want de koffie van vandaag was niet te drinken.'
Ze liepen samen naar de woonkamer.
Tim wreef in zijn handen. 'Hè, lekker is het hier. Een stuk beter dan buiten. Het zijn echt de donkere dagen voor Kerstmis.' Zijn blik viel op de kerstboom. 'Jullie hebben de boom al staan, zie ik. Daar zijn wij nog niet eens aan toegekomen.'
Hanneke keek hem aan. 'Zo druk?'
Tim knikte. 'Vorige week hadden we het allebei druk met ons werk. En eergisteren hebben we het kleine kamertje leeggehaald dat eerst rommelkamer was, maar nu babykamer gaat worden. Toen het leeg was, viel ons tegen hoe donker het was. Dus nu hebben we gisteren een aannemer laten komen, die begin janua-

ri een groter dakraam komt plaatsen. Aafke is volop bezig om in allerlei behang- en gordijnenwinkels te zoeken naar spullen voor wat ongetwijfeld de mooiste babykamer ter wereld gaat worden.'
Hanneke lachte. 'Ja, zoiets is onze Aafke wel toevertrouwd. Hoe is het met haar?'
'Morgen moet ze weer naar de verloskundige. Dan is ze precies vijf maanden zwanger. En volgende week hebben we de twintigwekenecho. Ze krijgt al een mooi buikje en voelt nu volop leven.'
Hanneke glimlachte bij de herinnering aan haar eigen eerste zwangerschap en die wonderlijke ervaring van voor de eerste keer je kindje voelen bewegen. 'Fluisterfladderen' noemde ze het. Alsof een vlindertje zacht tegen je buikwand tikte: 'Hier ben ik.' Later werden dat steviger en beter voelbare bewegingen. Ze had de eerste dag na de bevalling altijd een wat leeg gevoel in haar buik gehad. Ze vond het meestal wel gezellig, die 'onderonsjes' met haar baby.
'Hoe is het op je werk?' vroeg ze even later, toen ze aan de koffie zaten.
Tim zuchtte. 'Er staan weer een hoop veranderingen op stapel. Door de steeds verdergaande bezuinigingen moeten er verscheidene mensen uit, en het werk op de werkvloer moet anders georganiseerd gaan worden. Daar ging die studiedag vandaag over. Het thema was 'Zorg op nieuwe maat', maar die vlag dekte de lading totaal niet. Vroeger was 'zorg op maat' zorg die helemaal afgestemd was op de cliënt, maar tegenwoordig wordt er alleen nog maar gekeken naar wat het aan geld oplevert. Ik had vorige week een schrijnend geval bij de hand, van een jongen die ambulant begeleid werd, maar thuis niet meer te handhaven was. Er was echt sprake van een crisis. Ik zag best wel mogelijkheden om die jongen bij ons te plaatsen, waarmee zowel die jongen als dat gezin geholpen zou worden. Maar mijn baas zei: 'Nee, zolang die jongen geen indicatie heeft voor meer zorg, gaan wij die ook niet leveren.' Nu vraag ik je! Vroeger leverde je zorg omdat die nodig was, en kwam die indicatie achteraf wel goed. Nu krijg ik steeds meer zo'n 'ik-stond-erbij-en-ik-keek-ernaar'-gevoel. We zien het allemaal gebeuren, maar niemand grijpt in.'

Hanneke knikte. 'Dat was vijf jaar geleden al zo, en dat wordt alleen nog maar erger,' zei ze. 'Ik heb destijds de zorg weleens vergeleken met de strepen op de weg: zo veel mensen die direct of indirect betrokken zijn bij de zorg, zoals zo veel mensen bezig zijn geweest om ervoor te zorgen dat die strepen op de weg er kwamen, zodat het verkeer in veilige banen geleid werd. Maar die 'veilige banen' in de zorg worden door al die veranderingen knellende banden, die hulpverleners die nog echt vanuit hun hart werken, met handen en voeten binden aan allerlei regeltjes die er helemaal niet toe doen.'

'Een mooie vergelijking,' vond Tim. 'Daar lijkt het inderdaad steeds meer op.'

Hij grinnikte. 'Dat doet me ineens denken aan een reclame die een paar jaar geleden te zien was, over een verzekeringsmaatschappij. Daar zag je een man in zo'n strepentrek-karretje, en die moest ineens uitwijken voor iets, waardoor hij boven de afgrond kwam te hangen. Gelukkig liep het goed af, maar toen hij zijn weg vervolgde, wezen de strepen op de weg in de richting van de afgrond. Het is niet te hopen dat het zo gaat werken in de zorg, dat we zo gedachteloos de regels volgen dat we zonder het te beseffen in de afgrond kukelen.'

'Ik houd mijn hart soms vast wanneer ik aan Sanne denk,' vervolgde Hanneke. 'Wie zorgt er voor haar wanneer wij er niet meer zijn, als de zorg steeds verder uitgekleed wordt?'

Tim schudde zijn hoofd. 'Daar zou ik maar niet over inzitten, ma. Aafke en ik en Lobke en Roel zijn er dan toch ook nog?'

Hanneke keek hem aan. 'Maar jullie hebben dan allemaal jullie eigen gezin, dat al jullie aandacht zal opeisen.'

Tim schudde zijn hoofd. 'Sanne zal hoe dan ook altijd een plaats in ons leven blijven houden,' zei hij. 'En ik weet zeker dat Lobke en Roel daar ook zo over denken.'

'Je bent lief,' zei Hanneke glimlachend.

Tim lachte terug: 'Dat zei Aafke vanmorgen ook nog.'

Ze hoorden een sleutel in het slot steken, en even later kwam Lobke binnen.

'Hoi, mam,' begroette ze haar moeder. 'Mooi, die kerstboom!' En

tegen Tim: 'Hoi, zwager, jij hier?'
Tim stond op en gaf Lobke een kus. 'Zo, schone zus, hoe is het met jou?'
'In gespannen afwachting of ik volgende week echt een 'schone' zus ben. Maar verder goed, hoor.'
'Leuke stage?' vroeg Tim.
Lobke lachte. 'Nou! De praktijk staat midden in een volksbuurt, en ik heb al heel wat Amsterdamse scheldwoorden geleerd. Nooit geweten dat er zo veel manieren waren om je naaste allerlei akelige ziekten toe te wensen. Vandaag had ik een rasechte Jordanees onder handen. Hij had het in sappig Amsterdams over 'kankerlijer dit' en 'kankerlijer dat', en toen heb ik hem even haarfijn uit de doeken gedaan dat ik zelf zo'n 'kankerlijer' ben geweest. Toen bond hij ineens in. Hij bood zelfs zijn excuses aan.'
Tim schoot in de lach. 'Goed van jou. En hoe is het met de studie?'
'Ook goed. En hoe is het met mijn zus, en met mijn neefje?'
'Neefje? Jij weet meer dan ik.' Tim trok verbaasd zijn wenkbrauwen op.
'Tuurlijk wordt het een neefje. Dat voel ik gewoon. Altijd al gewild dat ik een klein broertje kreeg. Ik heb dat zeker wel drie keer boven aan mijn verlanglijstje gezet toen ik klein was. En met jou heb ik er wel een leuke broer bij gekregen, maar je wordt toch nooit een 'klein broertje'. Dus wordt jullie baby een jongen,' zei ze, en ze stak eigenwijs haar neus in de lucht. 'Heb ik besloten.'
Hanneke en Tim lachten.
'Nou, over vier maanden kunnen we zien of je gelijk hebt,' zei Tim.
'Dat kunnen ze tegenwoordig toch zien op de echo?' vroeg Hanneke.
Tim knikte. 'Dat is wel zo, maar wij hebben besloten dat we het nog niet willen horen. Wij laten ons wel verrassen wanneer het zover is.'
'Let maar op mijn woorden. Het wordt een jongetje,' hield Lobke vol.
Toen stond Tim op. 'Ik ga weer naar mijn vrouw toe. Sterkte met

de laatste week, Lobke. Het zal wel spannend zijn. Bel je volgende week meteen zodra je de uitslag hebt? Je mag me op mijn mobiel bellen.'

Nadat ze Tim uitgezwaaid hadden, ging Lobke naar boven. 'Even kijken of ik mail heb, en misschien is Joyce wel op msn.' Joyce was vorig jaar getrouwd en woonde in Engeland, waar Ivo een baan had gekregen.

Hanneke keek de kamer rond. Gezellig was het zo, met die kerstboom. Ze ruimde de stofzuiger op die er nog stond, en zette de radio weer wat harder. Bing Crosby droomde nog steeds van een *White Christmas*.

***

Lobke en Hanneke zaten voor het laatst tegenover dokter Evers. 'Ik mag je feliciteren,' zei hij. 'Alle uitslagen zijn en blijven goed. Je bent helemaal schoon.'

'Kan het niet meer terugkomen?' vroeg Lobke.

De arts keek haar scherp aan. 'Die garantie kunnen we je niet geven,' zei hij eerlijk. 'Maar zoals het er nu uitziet, heb je niet meer kans dan ieder ander om opnieuw leukemie te krijgen. We zouden het wel fijn vinden af en toe nog eens te horen hoe het met je gaat. Maar je hoeft niet meer op controle te komen.'

Lobke keek om zich heen. 'Het zal vreemd zijn hier niet meer te komen,' zei ze. 'Dit kamertje heeft toch een belangrijk deel van mijn leven een rol gespeeld, en u hebt dat ook.' Ze keek de arts recht aan. 'Heb ik u eigenlijk weleens bedankt?' vroeg ze toen.

De arts lachte. 'Meer dan eens,' zei hij. 'Wanneer de prik minder zeer deed dan je verwachtte. Of wanneer de uitslag van een onderzoek je meeviel.'

'Dan doe ik het nog maar eens. Dank u wel voor alles wat u voor me gedaan hebt. Dank u wel dat u me geholpen hebt het vol te houden. Dank u wel dat u me beter gemaakt hebt.'

De arts schudde zijn hoofd. 'Ik kan mensen niet beter maken. Ik kan hooguit een bijdrage leveren. Er spelen in een genezingsproces zo veel krachten mee waarop wij nog geen zicht hebben. Jij hebt zelf ook een belangrijke bijdrage geleverd, en al die mensen die met je meegeleefd en voor je gebeden hebben. En' – hij wees naar boven – 'de grote Geneesheer heeft daarin toch het laatste woord. Bedank Hem maar.'

Lobke knikte. 'Dat doe ik iedere dag. Iedere morgen wanneer ik opsta, weet ik dat het niet vanzelfsprekend is. En iedere avond wanneer ik weer een dag heb mogen leven, bedank ik Hem dat ik die dag er weer bij gekregen heb.'

De arts stond op. 'Ik ga je alle goeds toewensen. En geniet van je leven.' Hij gaf haar een hand, en daarna Hanneke.

'En doe die vriend van je, Roel, de groeten van me. Veel geluk met elkaar.'

Lobke stapte op de arts af en gaf hem spontaan een kus. 'U ook alle goeds.'

* * *

Hanneke reed naar huis. Ze hadden eerst samen naar Steven en Aafke gebeld over de uitslag, en daarna had ze Lobke bij Roel gebracht om hem het goede nieuws te vertellen. Vanavond zouden ze samen naar huis komen, waarna ze met z'n vieren naar de kerstnachtdienst zouden gaan. Roel zou de kerstdagen bij hen doorbrengen, en daarna zouden Lobke en Roel bij Frank in België Oud en Nieuw gaan vieren. Sanne, Aafke en Tim en opa en oma De Bont zouden de eerste kerstdag ook komen eten. Hanneke verheugde zich er al op.

Het was druk onderweg. Auto's raasden voorbij, maar Hanneke had geen haast. Ze keek naar de strepen op de weg. Strepen op de weg leken wel zo'n beetje haar levensmotto te worden. Maar niet alleen dat van haar. Ze dacht daarbij aan het beeldje dat Lobke had gemaakt van het stuk speksteen van opa De Bont. Ze had het 'Levensloop' genoemd. Het had de vorm van een brede, dikke luchtband gekregen. Het gat in het midden begon wijd, maar werd naar binnen toe steeds nauwer en aan de andere kant weer wijder. Lobke had de mooie tekening van de steen op die manier behouden en zelfs geaccentueerd. De witte lijnen van de steen

waaierden bovenin steeds verder uit.
'Dit is mijn levensloop,' had Lobke uitgelegd, wijzend op de lijnen. 'In het begin leek het erop dat mijn weg zou eindigen in een tunnel. Maar na die tunnel werd het weer licht, en kwam er weer ruimte voor nieuwe dingen. De lijnen aan de ene kant lopen door naar de andere kant. Ik ben mijn weg gegaan, en wat ik heb meegemaakt, draag ik heel mijn leven mee. Die weg heeft me gevormd tot wie ik nu ben. En dat is goed.' Toen had ze op een paar elkaar kruisende lijnen gewezen. 'Dit is Sannes levenslijn, en dit de mijne. Het is hier alsof een van de twee lijnen stopt door op te gaan in de andere, maar als je in de tunnel kijkt, zie je dat ze even verderop weer uit elkaar gaan als twee afzonderlijke lijnen. Mijn weg had nooit kunnen doorlopen zonder Sanne, en daar zal ik haar mijn hele verdere leven dankbaar voor blijven.'
Hanneke glimlachte. Ze dacht aan haar drie dochters. Drie sterke, mooie dochters had ze gekregen. En ze was dankbaar voor alle drie.
De strepen op de weg, die als witte flitsen langs haar voorbij snelden, leken even haar aandacht vast te houden. Toen wendde ze haar blik vooruit. Naar een toekomst die weer helemaal open lag...